ローマ人の物語

8

ユリウス・カエサル
ルビコン以前
［上］

塩野七生著

新潮文庫

フィレンツェに住んでいた頃の知人の一人に、フィレンツェ警察の捜査課長をしていた男がいた。公共心の薄いのが一般的なイタリア人には珍しく、公僕という形容が実に自然に似合う男だった。その後彼は、マフィアや誘拐犯(ゆうかいはん)と対決する困難な勤務地をいくつか経験した後、現時点では、北イタリアの中都市パドヴァの警察署長の地位にある。

その男が、まだフィレンツェ警察署にいた頃の話だ。私の家に来て本棚を眺めていた彼が、「カエサルについて知りたくなったので、このうちの一冊を貸してくれませんか」と言った。私は、厚さ五センチにもなるが、近現代のローマ史の研究者の中では評価の高い、ジェローム・カルコピーノ著の『カエサル伝』を選んで貸した。

一ヵ月ほど過ぎて返してきた彼に、私は感想を聞いた。だが彼は、感想を述べる代わりにこう言った。

「同じ時代に生まれていたら、会ってみたかったと思う人ですね」

「会っていたら、何を話していました?」

「カエサル指揮下の軍団で、百人隊長の一人にでもして使ってくれと頼んでいたでしょう」

モンテスキュー

「カエサルは、幸運に恵まれていたのだと人は言う。だが、この非凡なる人物は、多くの優れた素質の持主であったことは確かでも、欠点がなかったわけではなく、また、悪徳にさえ無縁ではなかった。

しかし、それでもなお、いかなる軍隊を率いようとも勝利者になったであろうし、いかなる国に生まれようとも指導者になっていただろう」

小林秀雄

「ツキディデスの政治史が、どんな具合なものか知らないが、『英雄伝』の英雄たちもみな政治家なのである。もちろん作者（プルタルコス）に、政治家タイプの人間というような現代風の考えがあったはずはなく、道徳的で精力的な行動家は政治家たらざるをえないという、当時の社会の実情に従ったままでであろう。……

政治は、ある職業でも、ある技術でもなく、高度な緊張を要する生活なのであり、従って、プルタルコスに描かれた人たちは、どこでもどんな場所でも、各人の全体的な経験をあらわしているように見える。……

政治への参加とか、政治への無関心とかいうやかましい言葉は、『英雄伝』時代の教養人たちには全く不可解な言葉であった。これは、考え直してもいい事だ」

イタリアの普通高校で使われている、歴史の教科書

「指導者に求められる資質は、次の五つである。

知性。説得力。肉体上の耐久力。自己制御の能力。持続する意志。

カエサルだけが、このすべてを持っていた」

バーナード・ショウ

「人間の弱点ならばあれほども深い理解を示したシェークスピアだったが、ユリウス・カエサルのような人物の偉大さは知らなかった。

『リア王』は傑作だが、『ジュリアス・シーザー』は失敗作である」

ユリウス・カエサル

「人間ならば誰にでも、現実のすべてが見えるわけではない。多くの人は、見たいと欲する現実しか見ていない」

目次

中巻目次

下巻目次

ローマ人の物語11　ユリウス・カエサル　ルビコン以後［上］目次

ローマ人の物語12　ユリウス・カエサル　ルビコン以後［中］目次

ローマ人の物語13　ユリウス・カエサル　ルビコン以後［下］目次

カバーの銀貨について

共和政体ゆえに個人の突出を嫌い、通貨に彫られるのも神々の横顔であった時代が長かったローマも、紀元前一世紀に入るや個人の台頭が目立ってくる。通貨上にさえも、スッラやポンペイウスの顔が登場する時代になった。とはいえ、彼らは最高権力者ではあったが共和政主義者でもあったので、自分の顔を彫らせた通貨はごく少ない例で留めている。スッラ時代に鋳造されたこのデナリウス銀貨でも、表面に彫られているのはかぶと姿の女神ローマで、裏面になってはじめて、凱旋式挙行時に四頭立ての戦車を駆る、独裁官（ディクタトール）スッラが描かれている。鋳造年は、記されている執政官（コンスル）の姓名から推測して紀元前八三年。権力絶頂期のスッラを敵にまわしたことが、いまだ青年期のカエサルの人生が波瀾万丈になってしまった原因なのであった。銀貨上のスッラの顔ならば本書の七三頁に、ポンペイウスの顔を模した銀貨も、文庫版第7巻のカバーで紹介している。

二〇〇四年六月、ローマにて

塩野七生

ローマ人の物語

ユリウス・カエサル　ルビコン以前 ［上］

第一章　幼年期　Infantia（インファンティア）

紀元前一〇〇年～前九四年〈カエサル誕生――六歳〉

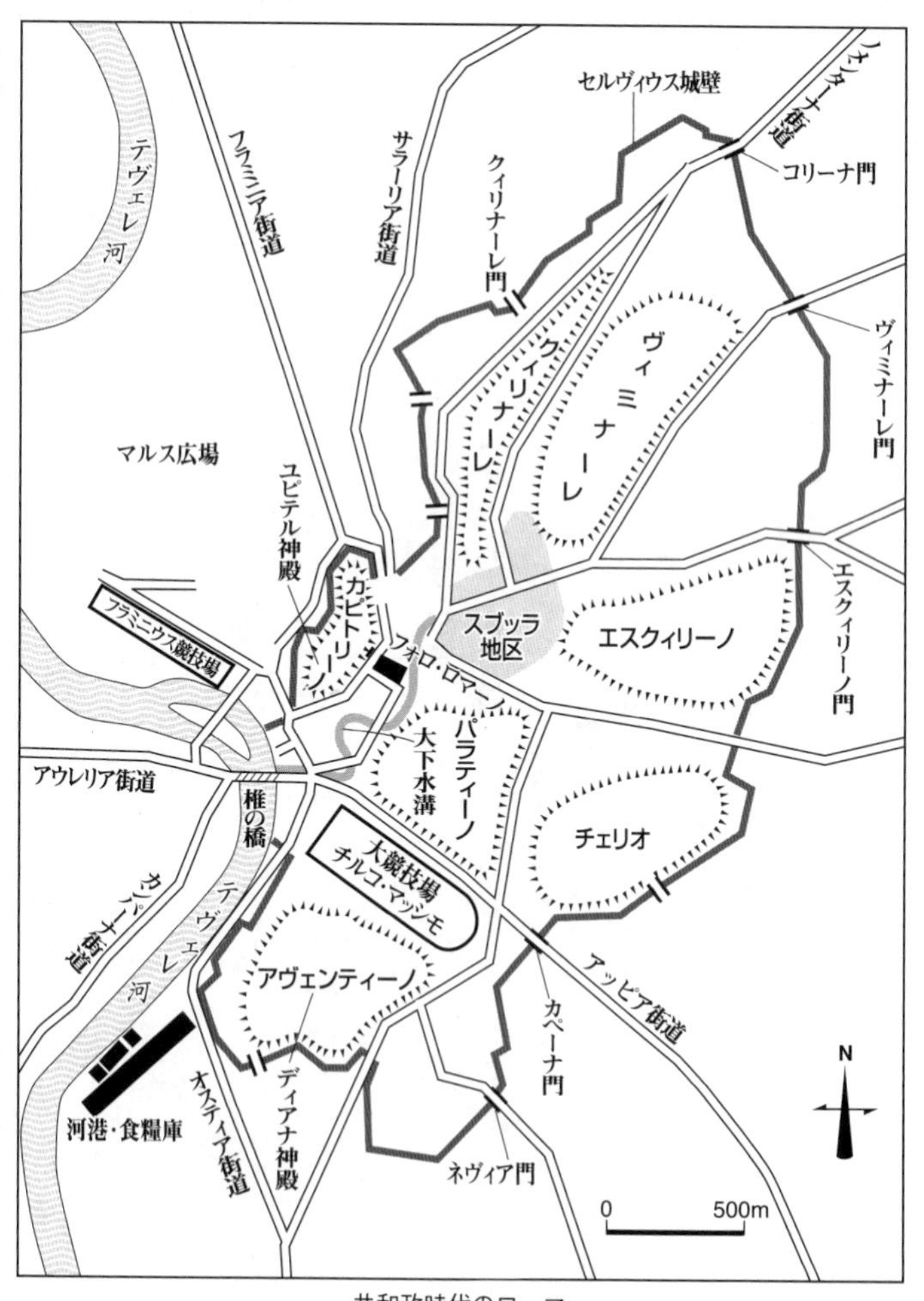

ノメンターナ街道
セルヴィウス城壁
コリーナ門
テヴェレ河
フラミニア街道
サラーリア街道
クィリナーレ門
ヴィミナーレ
クィリナーレ
ヴィミナーレ門
マルス広場
ユピテル神殿
カピトリーノ
フラミニウス競技場
フォロ・ロマーノ
スブッラ地区
エスクィリーノ
エスクィリーノ門
大下水溝
パラティーノ
アウレリア街道
椎の橋
大競技場
チルコ・マッシモ
チェリオ
カパーナ街道
テヴェレ河
アヴェンティーノ
アッピア街道
カペーナ門
オスティア街道
ディアナ神殿
河港・食糧庫
ネヴィア門
N
0
500m

共和政時代のローマ

どこで生まれ育ったのか

フォロ・ロマーノの南側に横たわるパラティーノの丘に立つと、建物で埋まってしまって明確にたどれなくなっているとはいえ、二千年以上も経った現代でもなお、ローマの七つの丘の位置の見当ぐらいはつけることはできる。

古代ローマの心臓部であったフォロ・ロマーノを中心にすれば、すぐ西側にはカピトリーノの丘、そして北から東にクィリナーレ、ヴィミナーレ、エスクィリーノ、チエリオとつづき、パラティーノとは大競技場(チルコ・マッシモ)をはさんだ南にアヴェンティーノの丘がきて、史上有名な「ローマの七つの丘」が完了する。これら全体を囲いこんだ城壁は、紀元前六世紀半ばに六代目の王セルヴィウス・トゥリウスによって建設され、この「セルヴィウスの城壁(ムーラ・セルヴィアーナ)」は、カエサルの時代でもなお健在だった。

ローマ人が自分たちの首都と考えていた「セルヴィウスの城壁」の内側は、面積にすれば、大手町と丸の内と霞(かすみ)が関(せき)と永田町を合わせた程度に過ぎない。

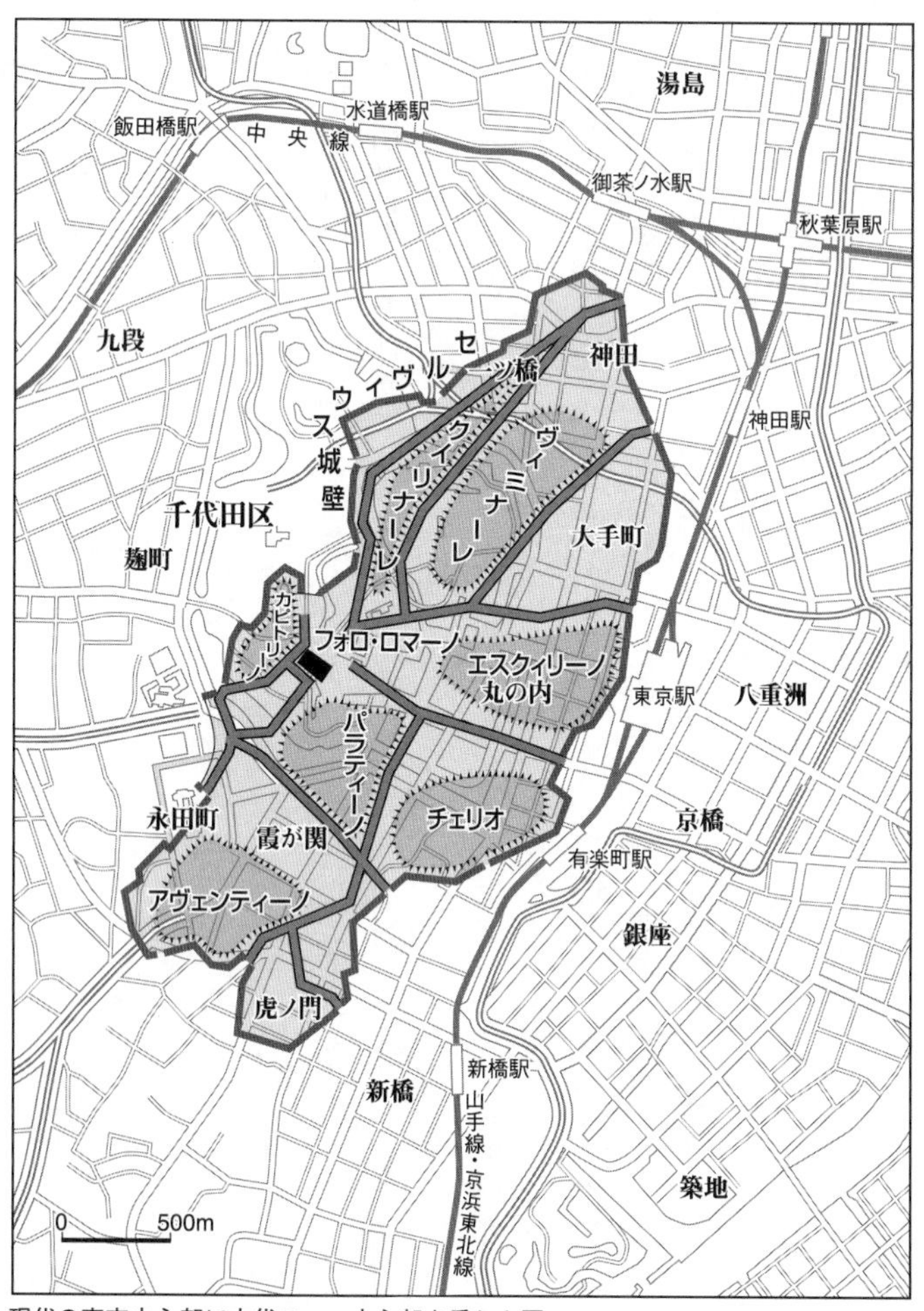

現代の東京中心部に古代ローマ中心部を重ねた図

ローマの七つの丘の中では最も高い、といっても海抜五十メートルでしかないのだが、それでも高さでは一番のカピトリーノは、丘の上の面積が他の六つの丘のどれよりも狭いこともあって、建国当初から神々の棲まう地域とされてきた。おかげで、他の六つの丘は、人間たちが住んでよいことになった。

丘といっても、ローマの七つの丘は、互いに孤立してそびえ立っているわけではなく、その下の谷あいは狭く深いという感じはない。低い丘陵がつながり合っているだけだから、高地は住宅用に、低地は水はけして公共の場にするのは、実に自然な選択だ。というわけで、低地にはフォロ・ロマーノができ、大競技場がつくられ、テヴェレの河岸には船着場と市場ができていった。カピトリーノの丘に収まりきれない神殿も、なにしろローマ人は多神教なものだから神殿の数も多いのだが、それら数多くの神々に捧げられた神殿も、ギリシア人ならば高所に建てるところなのに、神殿も公共建造物の一種と考えるローマ人は、平気で低地に建てていく。二十段くらいの階段を登っていかねば神殿内に入れない程度の高さにしたのは、神々の住まいゆえ当然ということだろう。

総体的に言えば、カピトリーノ以外のローマの都心は、比較的にしても高所は私用に低地は公用に使われていたのがローマだが、六つの丘の中で最も立地条件が優れて

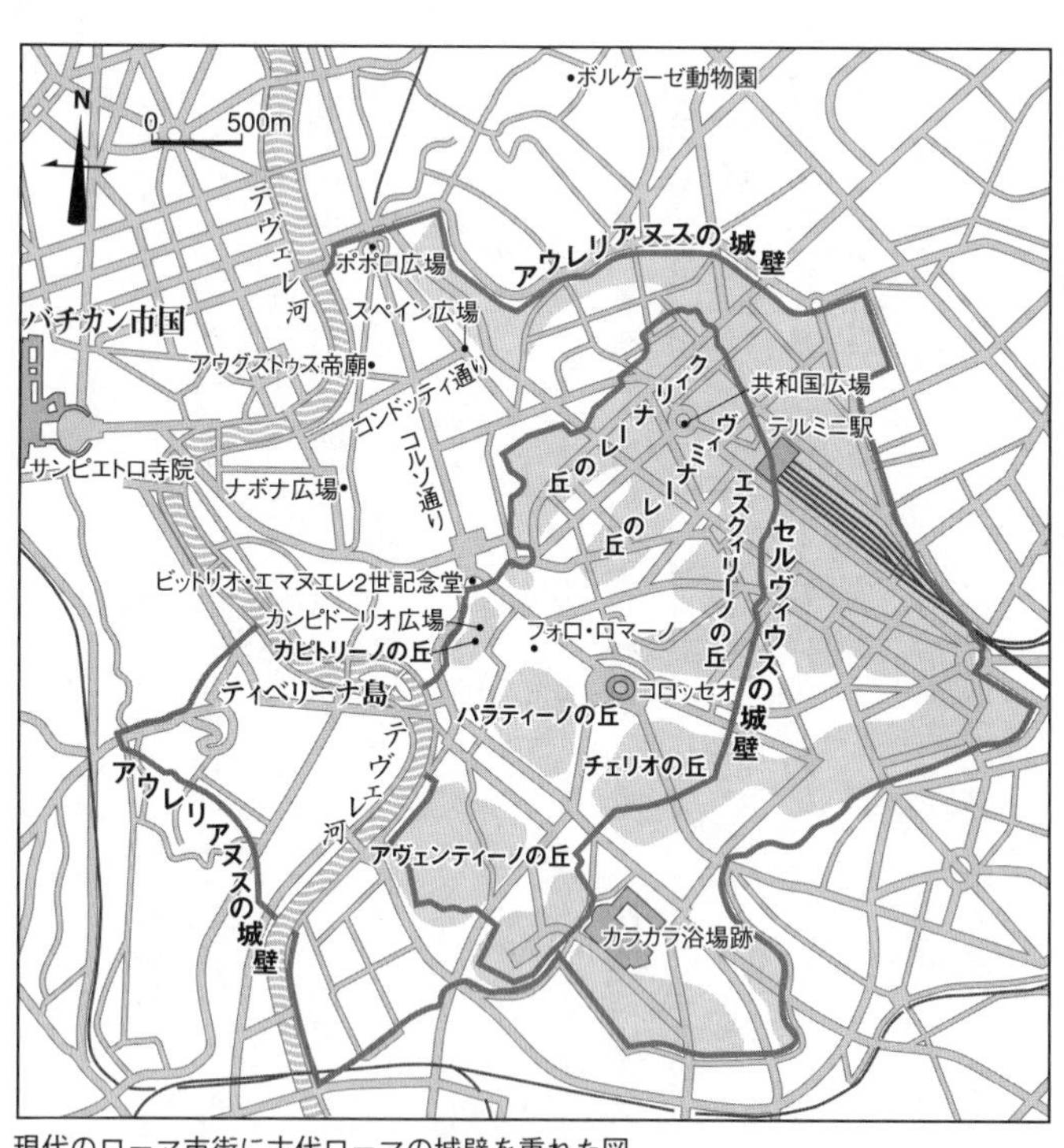

現代のローマ市街に古代ローマの城壁を重ねた図

いたのは、建国者ロムルスが最初の居住地に定めたというパラティーノの丘であることはまちがいない。

まず、丘の上の面積が十ヘクタールと広い。それに、高所にありながら水が豊富だ。また、都心中の都心であるフォロ・ロマーノには、ゆるやかな坂を降りて行くだけで達せる。しかも、テヴェレ河のすぐ近くに位置する高地だけに、テヴェレを渡ってくる西風(ゼフィロス)が肌に心地よい。冬よりは夏を考えて住居を建てる必要のあるローマでは、かけ値なしの一等地であったろう。現代でも、容赦なく降りそそぐ陽光にさらされてフォロ・ロマーノの遺跡を見物した後でパラティーノに登ると、ここが同じローマかと驚くほどに涼しく緑にも囲まれ、低地の喧騒(けんそう)から隔絶した別天地にいる想いにさせてくれる。このパラティーノの丘は、建国の祖ロムルスが居を定めたという理由で、初代皇帝アウグストゥスが屋敷を建てて以後は皇帝たちの宮殿で埋まるようになるが、理由はそれだけではなかったにちがいない。そして、皇帝の存在しなかった共和政時代のパラティーノは、有力で裕福なローマ人の屋敷が軒を連ねる高級住宅地であったのだ。

ローマ史にはいやというほど名の出てくるヴァレリウス、アッピウス・クラウディウス、ファビウス、コルネリウス、エミリウス等の名門貴族も、代々パラティーノに屋敷を構えていた。グラックスのような平民貴族の雄も、本宅はもちろんパラティーノだ。ローマ最高の資産家といわれたクラッススも、当然という感じでパラティーノの住人。地方からローマに出て弁護士として成功した哲学者キケロも、借金をしてでもパラティーノの邸宅を手に入れた。

パラティーノではなくても、高所ならば他の丘でも高級な住宅で占められていたのは、ローマの気候を思えば納得がいく。マルケ地方に広大な領地をもっていたポンペイウスのローマでの住まいは、チェリオの丘にあった。現代イタリアの大統領公邸はクィリナーレの丘の上にあるが、昔のローマ貴族の大邸宅の上に建てた中世のローマ法王の宮殿を、イタリア統一当時に接収したものである。

では、金持ではない庶民たちは、どこに住んでいたのか。

稜線（りょうせん）もゆるやかな丘の下のほうに、へばりつくように家を建てていたのである。これらの庶民の住まいは、ローマの七つの丘の下方にはどこにでもあった。神々の棲まう丘となっているカピトリーノでも、下のほうは庶民の住まいが埋めていたのである。要するに、一つの丘の下方から低地に入り、再びもう一つの丘の下方におよぶ地域に、彼らの居住地帯が密集していたということだろう。

その一方で、庶民たちが相当に広い範囲に集中して住んでいた地域もあった。それらの地域の中で都心に最も近い、いやほとんどフォロ・ロマーノと接しているといってもよい一帯は、「スブッラ」と呼ばれて昔から有名だった。

小鳥のさえずりで一日がはじまる丘の上の高級住宅街とはちがって、スブッラでは、日の出とともにはじまる職人たちの仕事場からの音で眼が覚める。それにすぐつづいて、日々の必要品を商う店が扉を開けはじめる。商店に出入りする者には丘の上の御屋敷から買物に来る奴隷たちまで加わるのだから、狭い道を往来する人の数は、陽が高くなるのと正比例する勢いだ。商店にかぎらず職人の仕事場まで通りに面して開いているので、音の量となれば、「スブッラ」がローマ一であったろう。庶民街ゆえ、歯抜きであれ床屋であれオリエント産の怪し気な香味料売りであれ、街頭で営業する者でも、大邸宅の使用人に追い払われる心配もなく商いに専念できる。だいたいが何を正業にしているのかわからない人間でも、ここでは不審の眼で見られることはなかった。悪く言えばうさん臭く、良く言えば活気に満ちあふれていたのが「スブッラ」であったのだ。

皇帝アウグストゥスが建てさせ、今では遺跡でしか残っていない「フォールム」の背後には、高くつづく石壁が今も見られる。スブッラではしばしば起こった火災に対する、延焼防止の策である。このスブッラは、二千年後の現代でも庶民地区であることでは変わりなく、スペイン広場近辺のレストランのフルコースの値段は、昔のスブッラ、現代ならばカヴール通り界隈（かいわい）のそれの三倍になる。

ユリウス・カエサルは、このスブッラで生まれ、このスブッラが、三十七歳で最高神祇官（じんぎかん）に選出されてフォロ・ロマーノ内にある公邸に移るまでの、彼の住まいであった。

環境

共和政時代のローマで国家の要職を占めたことのある人物ならば、そのほとんどが数代前まで家系をたどることができる。祖父、父と執政官（コンスル）を務めたスキピオ・アフリカヌスやグラックス兄弟はもちろんのこと、クラッススもポンペイウスも、父親は執政官だった。この種の人々は、代々元老院（セナートウス）に議席をもつ家柄の出身で、元老院階級に属す。家系を遡（さかのぼ）ることが不可能なのは、地方の出身でありながら軍隊で成功し、執政官に七度も選出されたマリウスや、マリウスとは同郷人でも出世の道を弁護士で成功することで切り開いたキケロのような人々である。家系が彼らからはじまるこの種の人々は、「新参者(ホモ・ノヴス)」と呼ばれた。

家系が彼以前には遡れないということなら、もう一人、スッラの例をあげねばならない。ただしスッラは、「新参者」ではない。コルネリウスという、スキピオ家も属すローマの名門中の名門貴族につらなる。それでいて、スッラという家族名は、彼の活躍する以前のローマ史ではまったくと言ってよいほど出てこない。没落貴族、であったのだろう。

ユリウス・カエサルは、この三種のいずれにも属さなかった。

ユリウス一門は、コルネリウスにもファビウスにもクラウディウスにも匹敵するほど古くまで遡れる名門貴族である。ローマを建国することになるロムルスの母は、アルバロンガの王の娘で、ユリウス一門は、このアルバロンガの有力者であったからである。

しかし、紀元前七五三年にロムルスが建国してからのローマの力は上昇の一方であったようで、一世紀後の前六五〇年前後、ローマは、かつての母胎アルバロンガを攻撃する。他国に進攻したと言っても、せいぜいが三十キロほど遠征したにすぎなかったのだが、この範囲が、当時のローマ人の行動半径であったのだ。

ピクニック程度の遠征にしても、三代目の王トゥルス・ホスティリウスによって行われた進攻は成功し、ローマ軍は勝った。アルバロンガは徹底的に破壊され、住民たちは、ローマへの移住を強いられた。ただし、奴隷としてではない。ローマ人はその当時から、後にプルタルコスが賞讃することになる「敗者さえも自分たちと同化する」やり方を守っていたからである。ローマには強制移住させられたが、勝者と同等の市民権を与えられ、ローマ市民となったこれらの人々の住まう地域として、ローマの七つの丘の一つチェリオが供された。クインティリウス、セルヴィウス、ユリウス等のアルバの有力家門はローマ貴族に列せられ、その代表者には、元老院の議席も提供されたのである。「旧敗者」の血をひくことは、ローマではまったく問題にされなかった。王政が打倒されて共和政体に入って以後はもうほとんどと言ってよいくらい、ローマの歴代の統治者たちは、「旧敗者」の血を引く者であったのだから。

ユリウス一門も、共和政の初期には活躍したようである。それが、紀元前三世紀初頭に至るまでの三百年近く、とんと御無沙汰(ごぶさた)になる。ローマの公式記録である「最高神祇官記録」にユリウスの家門名が登場するのは、第二次ポエニ戦役の時代になってからだった。

ローマがハンニバルとの間に死闘をくりひろげていたその時代、ユリウス一門の一人がカルタゴ軍相手に善戦し、その戦功によってカエサルと綽名(あだな)されたとある。その綽名が家族名になったらしい。カエサルとは、カルタゴの言葉では「象」を意味する。綽名が家族名に転化するのは、ローマではよくあることだった。

ところがこの後またも、ユリウス一門もカエサル家も、とんと御無沙汰の状態が再開される。この時代、何十人と執政官を出していたコルネリウスやクラウディウスやファビウス一門に比べ、ユリウス一門全体で出した執政官は、一世紀間にたったの一人。毎年二人ずつ選出されるのが執政官である。どうにもパッとしない、名門貴族であったのだ。

前一世紀に入ると一人執政官が出てくるが、このルキウス・ユリウス・カエサルは、われらがガイウス・ユリウス・カエサルの父親ではない。伯父であった。われらがカエサルの父親は、法務官の経験をもつだけだった。

法務官(プラエトル)とは、共和政時代のローマでは執政官に次ぐ重要な公職である。毎年六人が市民集会で選出される。資格年齢は四十歳。元老院議員であることが条件だった。そして、法務官としての一年の任期を終えた後は前法務官(プロプラエトル)という官職名に変わり、ローマの属州のどれかに属州総督として赴任するのである。これを務めた後ではじめて、執政官に立候補する資格を獲得できるのだった。

われらがカエサルの父親のキャリアは、法務官で終わったのである。属州総督として送られる前に、死を迎えたとしか考えられない。いずれにしてもカエサルは、有力者の息子ではなかった。それでもなお父母の名さえ不明なスッラとちがって一代前ならば家系をたどれるのは、カエサルの父が一応は法務官まで務めたことと、母親の実家が有名であったからである。母アウレリアは、法学者として知られ、執政官も務めたアウレリウス・コッタの妹にあたった。

カエサル家の経済状態がつましいものであった理由は、名門貴族でも勢威をふるう者に長く恵まれず、それがために財を築く機会にも恵まれなかったからだろう。それでも、ローマ有数の名門なのだ。実力で出世しつつあったマリウスがハクをつけるために迎えた妻は、カエサルには伯母にあたるユリアだった。そして、いかに学者一家とはいえ、執政官をはじめとするローマの要職にはたびたび選ばれていたアウレリウス・コッタ家である。その家の娘を、貧乏貴族に嫁がせるはずもない。ここでもスッラとちがって、カエサルの生まれた家庭はつましくても貧乏ではなかったとする、古代の歴史家たちの言を容れるしかないのである。たとえ、パラティーノの丘に居を構えるほどの、経済力には恵まれなかったとしても。

　また、「スブッラ」に住んでいたということも、それ自体では即、庶民と同じ程度の家に住み同じ程度の生活をしていた、ということにはならなかった。城壁の外に開発された市街ならば、経済力の差によって地域ごとにかたまるのが普通だが、現代でいう旧市街、古代での都心部では、経済力の異なる家同士が隣り合ってあることなど珍しくない。玄関の扉を開けるや様子が一変する、という感じだ。その理由は、代々住みついている人が多いからだろう。とはいえ、パラティーノに代々住んでいるのと、スブッラに代々住むというのでは、ちがいはやはり歴然としていた。

　紀元前一世紀のローマは、地中海世界の覇者であった。首都ローマは、移り住んでくる人々を収容するのに常に頭の痛い状態にあった。しかも、当時は健在だった「セルヴィウスの城壁」内の面積は、大手町と丸の内と霞が関と永田町を合わせた程度の広さしかない。いきおい、資力に恵まれない人々の需要を満たすには、建物は高層化するしかない。四、五階にもおよぶ賃貸し用の集合住宅を、ローマ人は「島（インスラ）」と呼んだ。青年時代までのスッラは、この「インスラ」の住人だった。

　カエサルもそうであったとする史料は、まったくない。そうであったならば必ず誰かが書き残したにちがいないから、そうではなかったとするほうが妥当だろう。ならば、いかにスブッラの住人でも、一戸建てには住んでいたわけだ。とはいえ、古代でさえカエサルの「生家跡」ははっきりしなかったのだから想像するしかないのだが、研究者たちの手になる「ローマ市内の一戸建ての家のプロトタイプ」が、想像の出発点にはなれるかもしれない。

同じローマの家でも古代と現代のそれの最大のちがいは、古代の家が内側に開いていたのに反し、現代の家は半ば内側、半ばは窓によるなどして外側に開いていることだろう。

外側は閉ざし内側に開いていた理由の第一は、限られた土地に多くの人を収容する必要から、たとえ一戸建てでも外壁は隣りの家と接しざるをえなかったからである。理由の第二は、安全対策であり、第三はローマの気候だ。そして最後は、街中に住みながらも外部と遮断(しゃだん)することで、家の中の静けさを保つためであった。

実際、ルネサンス以降はローマでも、窓を開けるなどして外部にも開くように変わったが、一階の窓は鉄柵(てっさく)で守られているし、より上階になって陽光にさらされる高さの窓ともなると、夏季などは朝の九時にはもう、ガラス窓どころかその外についている鎧戸(よろいど)まで閉めねばならない。再び開けるのは、太陽が落ちてからである。それくらい、ローマの陽光は強烈だ。壁の厚さは最低でも五十センチあるのだから、陽光を遮断してしまえば、内部は意外と涼しいのである。この一事からしても、内側に開くロ

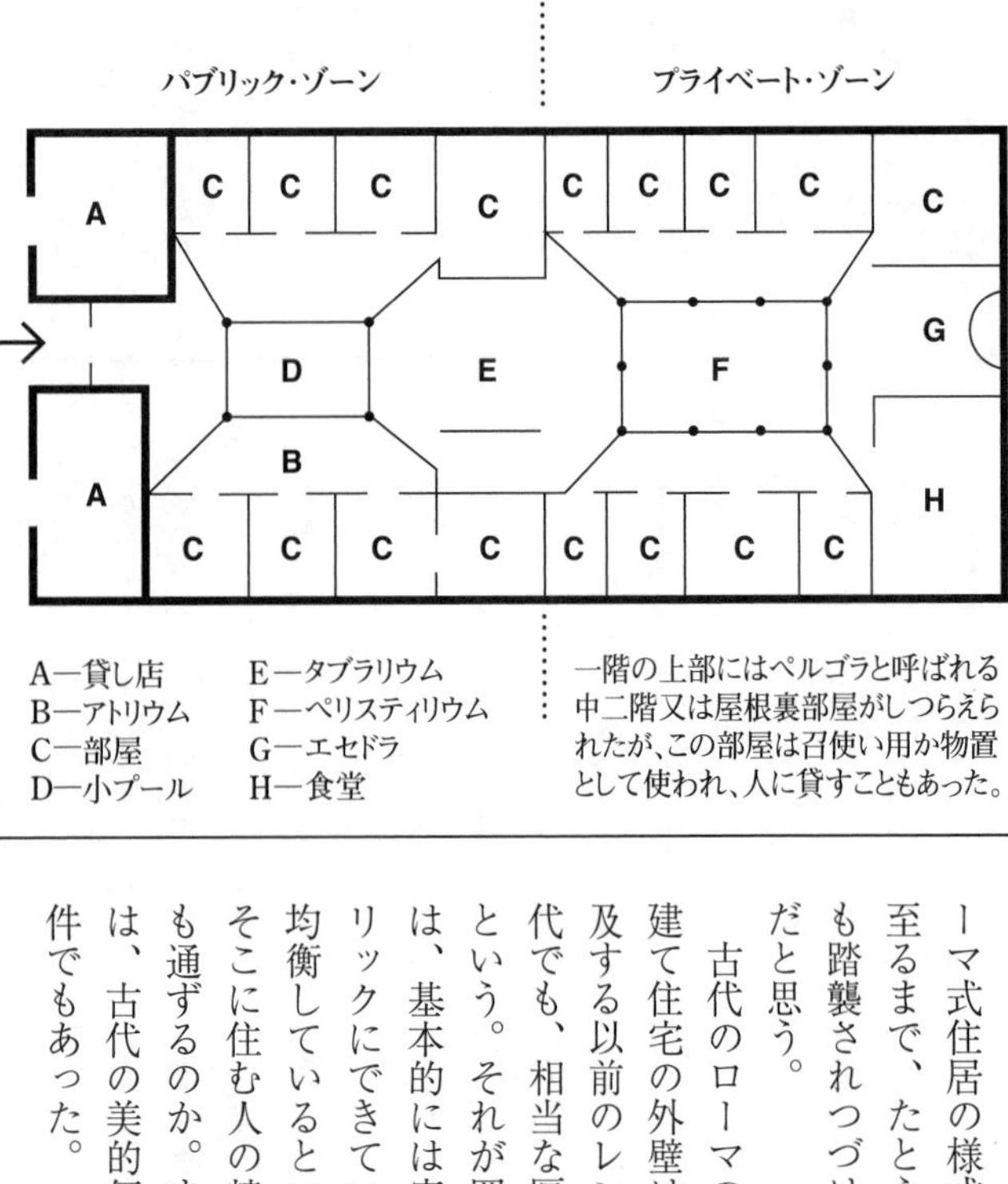

ーマ式住居の様式が、現代に至るまで、たとえ半ばにしても踏襲されつづけてきた理由だと思う。

古代のローマの市内の一戸建て住宅の外壁は、石造が普及する以前のレンガ造りの時代でも、相当な厚さであったという。それが囲む家の内部は、基本的には実にシンメトリックにできている。左右が均衡しているということは、そこに住む人の精神の均衡にも通ずるのか。また、均斉美は、古代の美的価値の第一条件でもあった。

均斉美に忠実を期してというわけか、古代ローマでは中の上程度の人の住む家でさえ普通だった同じ家屋内にもつ貸し店も、入口を中心にして左と右にある。貸し主は、この家の主人。ただし、はじめから貸すつもりで造られているので、家主の住居との境目は、外壁並みの厚さの壁で遮断されている。ローマ市内の一戸建てのほとんどは、日本でいうゲタばき様式だった。もちろん、パラティーノの上の御屋敷ともなれば、ゲタばきではない。チェリオの丘の上にあってその豪華さで聞こえたポンペイウスの屋敷も、家の一部を店に貸したりはしなかったにちがいない。しかし、カエサルの家はスブッラにある。ほとんど百パーセント、〝ゲタばき〟であったはずだ。

その〝ゲタ〟の間に口を開けている入口から入ると、アトリエの語源となるアトリウムと呼ばれる中庭に出る。中庭と言っても庭があるわけではなく、天井の中央の部分が空いていて、そこから外光を入れる式の中央空間にすぎない。円柱が四方をささえる屋根の中央が空いているのだから、雨でも降れば水びたしになるところだが、ローマでは雨の降る日は少ない。このアトリウムの中央には、雨用というよりも美観上の理由で、小ぶりのプールがあるのが普通だった。それを回廊がめぐり、その左右には各部屋の扉が並ぶ。窓がないのだから、室内への外光は、アトリウムから入る光だけである。陽光が強烈なので、この程度で充分だった。

アトリウムの向うには、タブラリウムと呼ばれる一室がある。この家の主人の、言ってみれば応接間である。主人が名門貴族であったり有力者であったりすれば、ローマでは大変に重要な人間関係であったパトローネス（保護者）とクリエンテス（被保護者ないし後援者）の関係をもっているのが普通だから、毎朝のように種々の相談で訪れるクリエンテスたちを応対するのに、ローマの一応の家では、それ用の一角がぜひとも必要であったのだ。それゆえ、玄関からアトリウムを通りこのタブラリウムに至る部分が、家の中ではパブリックなゾーンであったと思ってよい。

しかし、何ごとにつけても開放的なローマ人に、それを許したのもローマの気候である。応接間には、扉がない。応接間として使われているときは、この部屋の前後をカーテンで閉ざすだけである。使われていない時間は、カーテンは開いたままだ。これによって、アトリウムに足を踏みいれた人の視界には、タブラリウムを通してその奥にある、花が咲き乱れ緑あふれるもう一つの中庭までが入ってくることになる。しかも、応接間の鴨居（かもい）で囲まれた、まるで額ぶちの中の絵でもあるかのように。

このように、ローマでは一応の家でも、パブリック・ゾーンとプライベート・ゾーンは完全に分離されていない。されてはいないが、区分けはやはりあった。プライベートのほうも、同じく吹き抜けの部分を中心に回廊がめぐりその背後を部屋がめぐる造りでは同じだが、小プールのある中央は庭が占めるので、印象はずっとやわらかくなる。中庭の周囲に立つ円柱の数も多く、そのかたわらは女たちの格好の仕事場所になっていた。エセドラと呼ばれる一角には、この家の保護神、カエサル家ならば美の女神ヴィーナスを祭る祭壇があり、その横には、ユリウス一門の先祖たちも祭られている。現代の欧米人よりも、神棚と仏壇の同居を見慣れている日本人のほうが、アトリウムに対してペリスティリウムと呼ばれたプライベート・ゾーンに導かれても、感じる違和感は少なかったのではないか。猫のひたいほどの庭でも草木を植え、その一隅にはちょろちょろと水の流れる彫刻式噴水まであったのだから。

欧米人よりも日本人のほうが違和感が少なかったと思うもう一つは、古代ローマの家の室内の内装である。ヨーロッパの研究者の一人は、もしも古代のローマ人が現代のヨーロッパのあらゆる種類の家具調度で埋まった室内を見たら、物置ではないかと思うにちがいない、と書いている。古代のローマでは、室内に置かれている家具といえば、寝室でさえも寝台に小机に椅子(いす)程度でしかなかった。食堂には、横臥(おうが)で食事するギリシア・ローマの習慣から、それ用の寝台タイプが中央部をめぐって置かれていたが。

常日頃は必要不可欠な物しか身近に置かないローマ人は、その代わり、壁と床は飾った。床は、寸法も一定の表面をなめらかにした石を敷きつめるか、模様もあざやかなモザイクづくりである。大理石を敷きつめたり多色のモザイクが使われるのは帝政時代に入ってからで、共和政時代はまだ、モザイクも白と黒ぐらいしかなかった。

　壁面には、絵が描かれる。それも人物像ではなく、風景画が一般的だった。人物が描かれても、風景の一点景としてである。この風景画がどのような感じのものかということだが、現代ローマのスペイン広場近くに、ホテル・インギルテッラ（イギリス・ホテル）という、『クォヴァディス』の著者シェンキヴィッチも滞在していた昔からのホテルがある。このホテルの食堂は、「ローマン・ガーデン」と名づけられているのだが、何も古代ローマ式の庭園にのぞんでいるわけではない。地下一階のそこは、壁で四方を囲まれた一角にすぎない。ただしその壁は四方とも、一面に絵で埋まっている。蔦（つた）のはう石塀や彫像などが描かれ、その向うに見える丘の上には、神殿らしきものも描かれている。つまり、古（いにしえ）のローマの庭園の中で食事をしている気分になる、という意味でのローマン・ガーデンなのである。

　古代ローマの家の室内の壁画も、この式のものなのであった。遠近法まで駆使した画法で海辺の別荘まで描いたりするから、ローマの街中にいながら、外の世界とのつながりも愉しめるわけである。銭湯の浴槽の壁には富士山や松島を描かせ、自宅ならば畳のへりの模様に凝ったり襖に絵を描かせるのが伝統でもあるのが日本だ。偽自然にしても家中それに囲まれ、室内に置く家具調度も数が少ないローマ式の家のほうこそ、抵抗感なく融合できたかもしれない。

都心部の一戸建ての家では、二階のないのが普通だった。ただし、現代でも二・五メートル以上の高さがなければ部屋には数えないのがイタリアである。中二階というか屋根裏部屋という感じならばあったのだ。屋根と天井の間に空間があれば、それだけで寒さも暑さもやわらぐ。これらの屋根裏部屋は、全体では長方形になる家のアトリウムとペリスティリウムの部分、つまり吹き抜けとそれを囲む屋根の部分を除いたすべてをおおっていた。使用人である奴隷たちの住まいや、室内には余計なものを置かないのだからどこかに収容しなければならない物を置く物置とかに使われていたのである。また、貸し間に使われることもあった。歴史家ディオニッソスも、ギリシアからローマに来た当初は、この種の貸し間の住人だった。

以上が、ローマの街なかの一戸建て住居の概観である。裕福な家ならば、アトリウムとペリスティリウムの広さがもっと広くなり、それにつれてこれらを囲む部屋の数も増え、プライベート・ゾーンのさらに向うにもう一つの広々とした庭園をもつこともできたが、そのようなことは、丘の上に建つ高級住宅でもなければ許されない贅沢だった。だが、それらの大邸宅でも、この基本型は変わっていない。住み心地から考えれば、夏は涼しく冬は暖かく、外部からは隔絶されて静かなこの式の間取りが、ローマの気候にもローマ人の精神にも適していたからであろう。北ヨーロッパに住む必要ができはじめると、ローマ人は床暖房や壁暖房まで備えた家に住むようになるが、南欧の首都ローマではそこまでの必要はなかった。

また、さして経済力があるとは言えない家でも、ローマの都心から二、三十キロの距離に山荘をもっているのが普通だった。緑に囲まれての田園生活を愉しむというよりも、農業国家の民の伝統や習慣が抜けなかったからではないかと思う。それゆえ山荘は、都会で暮らす人々にとっても農業生産基地であり、オリーブ油や葡萄酒やチーズや果物も、自家製のほうが好まれた。つましい経済力しかもたなかったカエサル家でも、一つや二つならば山荘をもっていたようである。買ったという史実がないのに、滞在したという史実はある。

ローマ建国から数えれば六五三年、西暦ならば紀元前一〇〇年の七月十二日、ガイウス・ユリウス・カエサルは、このローマのスブッラの家で生まれた。偉人の誕生には付きものの、一段と輝きを増した星が降りてきたとかのエピソードはない。彼の誕生は、当時のローマのごく普通の男子の誕生と変わりなく、両親とまだ幼ない姉と、親族と家庭奴隷たちの祝福を受けてのものであったろう。数年して妹が生まれるので、カエサルは姉と妹にはさまれた一人息子であったことになる。

それゆえか、母の愛情を満身に浴びて育つ。生涯を通じて彼を特徴づけたことの一つは、絶望的な状態になっても機嫌の良さを失わなかった点であった。楽天的でいられたのも、ゆるぎない自信があったからだ。そして、男にとって最初に自負心をもたせてくれるのは、母親が彼にそそぐ愛情である。幼時に母の愛情に恵まれて育てば、人は自然に、自信に裏打ちされたバランス感覚も会得(えとく)する。そして、過去に捕われずに未来に眼を向ける積極性も、知らず知らずのうちに身につけてくる。

第二章　少年期　Pueritia（プエリティア）

紀元前九三年〜前八四年〈カエサル七歳―十六歳〉

家庭教師

古代ローマでも子弟の教育は六、七歳からはじまった。公立の学校というものはなく、一般の家庭でも子供たちは私塾に通う。両親が教育をほどこせるだけの知的水準にあれば、親のいずれかが家庭内で教師役を務めることも珍しくはない。十一歳頃まででつづく初等教育が、言ってみれば読み、書き、そろばんであったのだから、初期の手ほどきならば親で充分に間に合ったのである。

カエサルの母アウレリアは、学者一家として知られたアウレリウス・コッタ家の出身で教養の高い女としても有名だった。少年カエサルの初期の教育は、母親が担当したのかもしれない。〝学友〟は、姉と妹に、家庭内奴隷に生まれた子たちであったろう。女子には教育をほどこすことをしなかったギリシアのアテネとちがって、ローマでは昔から、女にも初等教育までは受けさせるのが習慣だった。また、家つきの奴隷に生まれた子供たちを主人の子と一緒に学ばせるやり方も、ローマでは、良家になればなるほど当り前のこととされていた。

良家の男子なのだから、成人後には公職に就くことが運命づけられている。手足のごとく動いてくれる秘書役がぜひとも必要だ。ローマの重要人物と最後まで運命をともにする者には奴隷が多いが、それも、幼少の頃よりともに学びともに育ち、生涯の苦楽もすべて共有してきた仲だからであろう。ローマ人は、ヒューマンな観点からではなく現実的な必要性から、自家の奴隷の子たちにも同等の教育を与えたのである。

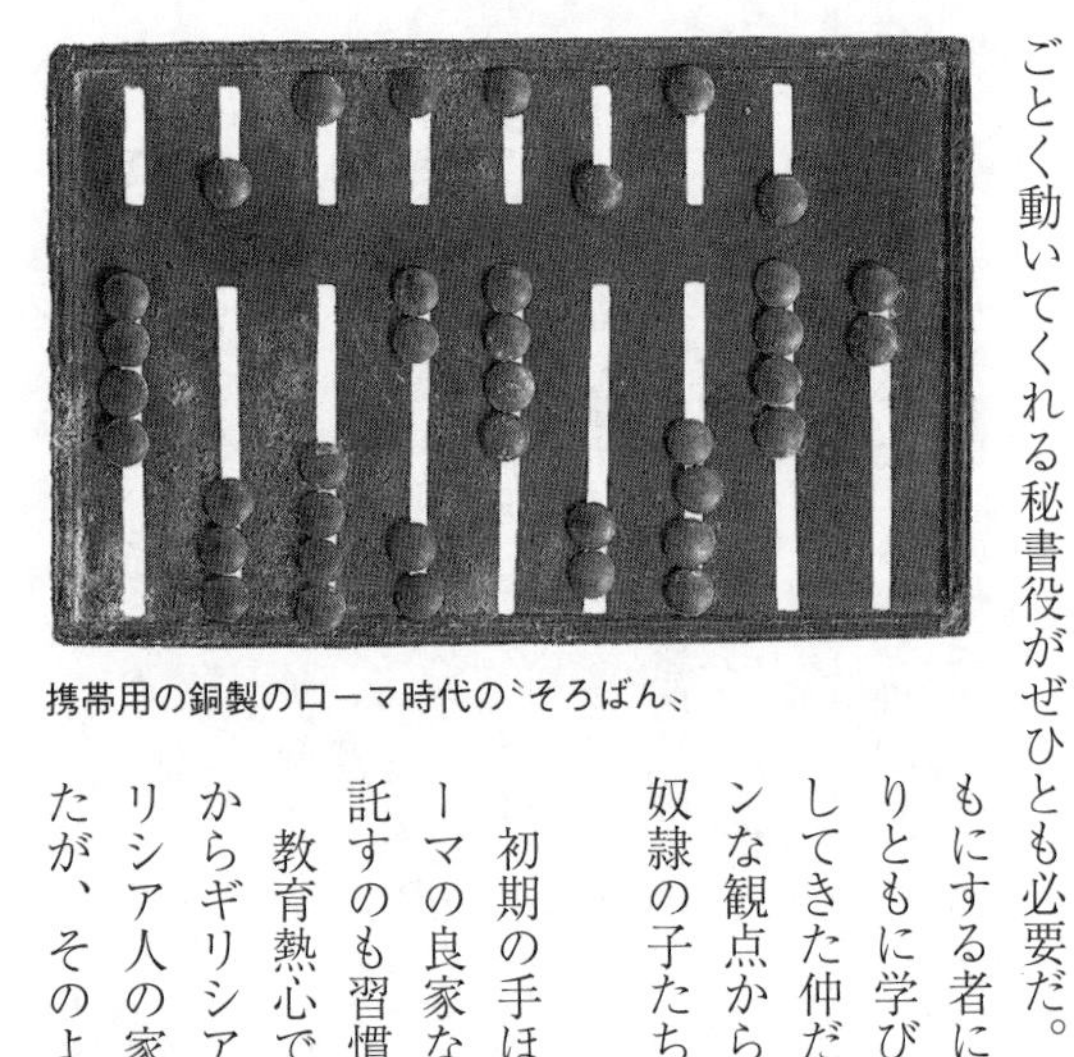
携帯用の銅製のローマ時代の〝そろばん〟

初期の手ほどきも終わる八、九歳の頃からは、ローマの良家ならば以後の子弟の教育を、家庭教師に託すのも習慣になっていた。

教育熱心で経済的にも可能である家ならば、乳母からギリシア人、その後もずっとアテネで学んだギリシア人の家庭教師をつけつづけるということをしたが、そのような贅沢（ぜいたく）は、グラックス家やエミリウス家のように経済力もあり、そのうえ何よりも子弟の教育を重視した家庭か、ローマ一の資産家の体面上、高給取りのギリシア人の教師を多数傭うというやり方で見栄を張ったクラッスス家のような例に限られる。なにしろ当時の教師といえばギリシア人の独占市場で、その中でも〝高級ブランド〟は、アテネで学業を修めたギリシア人。これに次ぐのが、ペルガモンを中心とする小アジア西岸か、ロードス島かエジプトで学んだギリシア人だった。グラックス兄弟もクラッススもポンペイウスも、家庭教師はもちろんのことギリシア人だったが、彼らよりはよほど名門でも経済力では劣るカエサル家では、まねのできることではなかったのである。

それで、少年カエサルの家庭教師になったのは、エジプトのアレクサンドリアで学業を修めたというガリア人だった。自らもギリシア語も解することでこのような場合の選択眼もあったにちがいない、母アウレリアの実質主義の結果であったろう。というわけで少年のカエサルは、母国語であるラテン語を完璧にすることも、当時の国際語であったギリシア語の母国語並みの習得も、ガリア人から学んだのであった。

初等教育の後期から高等教育の初期、年齢でいえば八、九歳から十六歳までの間に学ぶのは、課目別に分ければ次のようになる。

ラテン語とギリシア語。

言語を効果的に使うことで適切に表現する技能を学ぶ、修辞学(レトリック)。

論理的に表現する能力を会得するための、弁証学。

それに、数学と幾何学と歴史と地理。

ここまでの七学課が、「アルテス・リベラーレス」、直訳すれば「自由学課」、意訳すれば、一人前の人間には必要な「教養学課」になる。現代でもイタリア語の「アルテ・リベラーレ」、英語の「リベラル・アーツ」として残っている。

この七学課すべてを、一人の教師が教えるのである。経済的な理由ではなくて、教育上の理由からであった。

初期の手ほどき段階を過ぎてからのローマの授業は、先人の書き遺(のこ)した文章を読むことで成される。文法もレトリックも、論理的な表現法を学ぶのも歴史も地理も、ホメロスやツキディデスやプラトンや大カトーの文章を読み進むことで学んでいくのである。つまり、〝教材〟は先人の書き遺した文章であり、生徒たちが使う〝ノート〟は、蠟(ろう)を流した木版で、これに鉄か象牙(ぞうげ)のペンで書いていくのだった。これは生徒に限らず、大人でも〝メモ帳〟として使った。パピルス紙も羊皮紙も、高価であったからだろう。

上から、〝ノート〟、パピルス紙、インク壺、ペン（復元図）

一人の教師が全課目教えるというこのやり方だと、各課目を課目別でなく総合的に教えることができるから、生徒も関連づけて学べるという利点がある。ただしこうなると、教師の質がより問われることになる。ローマ社会での家庭教師の地位の高さと高報酬は、この種の需要を反映してのことにちがいない。

七課目の教養学課の他に、天文学や建築や音楽を教える場合もあった。こうなると、相当なギリシアかぶれである。ギリシア人が音楽教育を重視したのは、楽器を奏する技能の習得というよりも、調和の感覚をみがくためだった。

当時のローマ人にとっての大学進学は、アテネやペルガモンやロードス島に留学することだったが、そこでの主な学習課目は、修辞と弁証の力量のより一層の充実と、哲学であったようである。法学がどこにも見えないのが不思議だが、法律が家庭の食卓の話題であったローマ人のことだ。技能上の充実も、弁護士志願の若者ならば必ず経過した、高名な弁護士のもとでの修業中に会得(えとく)する、具体的な学問と考えられていたのだった。

体育

家庭教師についてであれ私塾に通ってであれ、これらの教養学課の勉学は午前中に限られていた。午後は、体育の時間だ。その時間は家庭教師から解放され、ローマではあちこちにあった、チルクスとかスタディウムとか呼ばれる公営の競技場付属の体育施設に、肉体を鍛えに行くのである。競技場の観客席の下は室内の体育館になって

フラミニウス競技場（想像復元図）

いることが多かったし、競走や馬術は、競技場のトラックで行われた。カエサル家の位置からすれば、パラティーノの丘の向うの大競技場（チルクス・マクシムス）か、ハンニバルに騙（だま）し討ちにあったフラミニウスが城壁のすぐ外側に建てさせたフラミニウス競技場（スタディウム）が、午後の肉体鍛練と武術の道場であったろう。

午前中の〝学友〟は、午後も競技場通いに同行する。まだ少年の主人にとっての彼らは、学友であり同伴者であり、召使でもあったのだ。ほっそりした身体（からだ）つきに生まれたカエサルが、後年どんな頑丈な体格の兵士にも負けない厳しい環境に耐えられるようになるのも、母親の指示に従っての少年時代の連日の体育場通いのおかげだった。

少年のカエサルがとくに得意としたのは、馬を御すことであったという。首のうしろに両手をまわした姿で、しかもあぶみのない時代、勢いよく馬を乗りまわすのは、馬という動物を熟知してこそできることである。この才能は、後の彼に生涯の決戦での勝利を恵むことになる。それにしても、手綱もなしで馬を乗りまわして得意がる少年は、母親にしてみれば心臓も止まる存在であったろう。

銀の匙(さじ)を口にくわえて生まれてきたとされるほど恵まれた環境に生まれず、当時のローマの良家の子弟としてはごく普通に育ちつつあった少年カエサルにも、九歳を迎える頃からは、家庭教師も体育の訓練でも教えてくれないことの体験がはじまる。彼が生まれた年である紀元前一〇〇年から九年の間、珍しくも外敵にも内敵にも悩まされることなく過ぎてきたローマを、再び激しい動乱が襲ったからである。「同盟者戦役」が勃発(ぼっぱつ)したのだった。

実地教育（一）

もしもカエサルが一市井人の息子に生まれていたのであったなら、この動乱も、父親の出陣という、当時のローマ市民ならば誰でも耐えねばならなかった一事として、少年の彼の胸に残っただけであったろう。だが、彼は、生活ぶりはつましくとも、ローマ有数の名門貴族に生まれている。動乱に抗して起ったローマ軍の最高司令官の一人は、父方の伯父であるルキウス・ユリウス・カエサル。伯母の夫のマリウスも、司令官の一人として参戦していた。父親のガイウス・ユリウス・カエサルも、司令官の名しか記されていない公式記録には見当らないが、前線に駆り出されていた可能性は高い。なにしろ「同盟者戦役」とは、二百年もの間鉄の結束を誇ってきた、それゆえにハンニバルを敵にまわしてさえも戦い抜くことができた「ローマ連合」の、加盟諸部族が盟主ローマに反旗をひるがえした戦いなのである。くわしくは、『ローマ人の物語』Ⅲ巻の一三〇頁前後（文庫版第6巻一八〇頁前後）を読み返してもらうしかないが、この戦役にローマは、指導層以下総動員で当る。カエサル家の食卓の話題も、しばらくはこの一事で占められたとしても当然だった。

しかし、表面的にならば、九歳から十一歳にかけての少年の日常は、いつもと変わりなく進んでいたであろう。ローマでは、いかに臨戦態勢下にあろうとも、十七歳以下の男子は絶対に徴兵されない決まりだったし、四十五歳以上の予備役も、首都防衛に駆り出されることはあっても、前線に送られることまではなかった。それに、奴隷にも解放奴隷にも、軍役が志願制に変わった後も、兵役勤務は免除されている。スブッラ地区の喧騒も、さして変わりなくつづいていたであろうし、一歩家の中に入れば静かで堅実な日々の暮らしも、母アウレリアの配慮のもとに過ぎていったにちがいない。午前中の勉強はもちろんのこと午後の競技場通いも、いつもと変わりなく行われていたはずだ。戦時に慣れざるをえなかったローマ人は、戦争中といえども日常生活にさしさわりが生ずるのを、極力避けてきたからである。未曾有の国難と言っても言いすぎでなかった「ハンニバル戦役」当時でさえ、神々に捧げる祝祭もそれに付随した競技会も、いつもと同じように開かれていたのである。

幸いにして「同盟者戦役」は、紀元前八九年、カエサルが十一歳を迎えた年に終わった。それも、軍事的に鎮圧しつくした結果ではなく、軍事上の有利は確保しながらも、反乱側が反乱の理由としたローマ市民権取得を認めるという、政治的な解決を選んだ結果である。それを唱え立法化させたのが、少年カエサルには伯父にあたる、前九〇年の執政官ルキウス・ユリウス・カエサルであった。

紀元前九〇年の冬の市民集会で可決され、直ちに国法化が成った「ユリウス市民権法」は、イタリア内での戦争状態を終わらせることだけを目的にした、単なる妥協のための策ではなかった。紀元前三六七年の「リキニウス法」にも匹敵する、国家ローマの将来を定める道標にも値した法律である。「リキニウス法」が、長くローマを悩ませてきた貴族と平民の抗争に、この二階級いずれにも均等に国家の要職に就く権利を認めたことで終止符を打ったのに対し、「ユリウス市民権法」は、北はルビコン川から南はメッシーナ海峡に至るイタリア半島の、自由民すべてにローマ市民権取得を認めたことで、「ローマ連合」の盟主と同盟者の立場を同等にした点に意味があった。権利が等しく与えられそれを発揮する機会も均等になれば、争いは消滅する。この法が成立したことによって、ローマ人とそれ以外のイタリア人の区別は消滅し、全員がローマ市民になったのである。

たとえ二年ではあっても、執政官の一人が戦死したほどの激戦だった「同盟者戦役」である。戦役終結の代価は高くついた。しかし、この「ユリウス市民権法」によって、ローマは、都市国家の形態を超越する第一歩を踏み出す。それも、勝者が敗者を軍事力で押さえこむことで支配し搾取（さくしゅ）するやり方ではなく、勝者のほうが敗者を同化し、共生状態にもってゆくというやり方によってであった。

私には、ギリシア人とローマ人のちがいの一つは、この点にもあるような気がする。ギリシア人は、アテネであろうとスパルタであろうと、階級闘争はどちらかが勝利するまでつづけられ、勝ったほうが敗者を従属させることでしか終わらなかった。スパルタ国内の階級は固定したままだったし、アテネでも、平民側が勝てば平民の独裁政体としてのデモクラツィアになり、貴族側の反撃が成功すれば、平民側は貴族の独裁に、黙って従うしかなかった。反対にローマ人の性向は、しばらくは争っても結局は、共存共栄の方向に向うのである。これが、ローマ人に帝国創立とその長期の維持を許した要因ではないか。ちなみに、対決主義で通したギリシア人中唯一（ゆいいつ）の例外は、アレクサンダー大王であったと思う。

一人の人間の成長という観点に立つならば、もの心つかない幼年時代は平和なうちに過ぎ、もの心つく年頃になるや考える材料を提供してくれる機会に豊富に恵まれるというのは、たとえそれが乱世であっても悪いことではない。しかし、カエサルの場合は、重ねて言うが、一市井人に生まれたのではなかった。少年の彼に考える材料を与えた人々は、「ユリウス市民権法」を成立させた伯父にかぎらず、その多くが少年の身近に生きる人々であったのだ。

『ローマ人の物語』の第Ⅲ巻「勝者の混迷」（文庫版第6、7巻）ですでに述べたように、グラックス兄弟の改革で一時はゆれにゆれたローマは、兄弟の死の後の小康状態が十年ほどつづいた後の紀元前一一〇年から前七八年までの三十年余りを、「マリウスとスッラの時代」としてもよいような、この二人が主要登場人物になって展開される時代に入る。カエサルにとっては、生まれる前からはじまって二十二歳を迎えるまでの歳月に当る。しかも、抗争の一方の旗頭であるマリウスは、カエサルにとっては、伯母の夫である縁で伯父でもあった。

しかし、紀元前一〇〇年に生まれたカエサルは、地方出身者でしかも平民の出というハンディをもちながら、武将としての輝かしい成功に彩られたマリウスの最盛期を知らない。ユグルタ戦役と呼ばれた北アフリカでの戦勝も、怒濤の如く南下してきたゲルマン民族を迎え撃ちそれに完勝したことも、カエサルの生まれる以前の出来事である。もちろん、高名な伯父は、カエサル家の食卓では頻繁に耳にする名前の筆頭ではあったろう。だが、マリウスの勢威が下り坂に入ったのも、前一〇〇年なのだ。もの心つきはじめた少年カエサルが実際に眼にしたマリウスは、七十歳に達しようとする、現在の力よりは過去の栄光のほうが印象強い老将なのであった。一方、マリウス配下の将としてデビューし、同盟者戦役では誰よりも輝かしい戦績をあげ、その勢いで執政官選出も果していたスッラは五十歳。あらゆる面で、登り坂にあった。

ただし、マリウスも、単なる過去の人ではなかった。資格財産をもつ市民のみを対象とした徴兵制を布(し)いて久しいローマ軍に、資格財産をもたない無産者(プロレターリ)でも入隊可能とした、志願制を導入した人物である。この改革によって、ローマ軍の兵役は市民の責務から職業に一変したが、ちょっとした資産をもっているがために兵役に駆り出されていた小市民を兵役から解放し、失業者には兵士という職業を与えたことで、マリウスの軍制改革は社会改革にもなっていたのである。これらローマの庶民層が、マリウスの支持者になったのも当然だ。マリウス自身の実力は明らかに下り坂に入っていた頃でも、彼に対する民衆の支持は根強かった。そして、当のマリウスにも、軍隊さえ持たせてくれれば落ちる一方の勢威も挽回(ばんかい)できるという、想いが捨てきれなかったのである。また、自分と同じ分野で、つまり軍事で名声を確立しつつあったかつての部下に対する、嫉妬(しっと)の想いもあった。

しかし、スッラのほうには、旧上司でも譲る気は少しもなかった。同盟者戦役に結着をつけたローマの次の課題は、オリエントで反ローマ戦線を展開中のポントス王ミトリダテス対策である。このオリエント遠征の指揮権を誰が手中にするかが、マリウスとスッラの抗争の発端になった。

実地教育（二）

紀元前八八年、スッラを執政官に選出した市民集会は、対ミトリダテス戦の総司令官にも彼を選んでいた。ところが、護民官と組んだマリウスが、平民だけが参加資格をもつ平民集会で、これをひっくり返したのである。平民集会のみで成された議決でも立法化は可能だ。紀元前二八七年の「ホルテンシウス法」以来、それは認められている。だが、譲る気などないスッラは、そのままでは引きさがらなかった。そして、グラックス兄弟の心酔者でもあった護民官スルピチウスの民衆寄りの政策に不安を感じていた元老院派が、そのスッラに裏からの支持を与えたのである。

オリエント遠征のために編成中の兵三万五千を率いたスッラは、首都ローマに進軍する。国家の最高位者である執政官がまさか自国の首都に軍を進めるようなことをするはずはないと思っていたマリウスもスルピチウスも、防衛の用意などはしていない。

数時間の小ぜり合いを経ただけで、ローマはスッラとその軍に制圧された。マリウスは逃げたが、護民官スルピチウスは捕われて殺された。首都の住人の多くが何ら関与しないうちに、軍事クーデターは成功したのである。マリウスをリーダーと仰いでいた「民衆派」の指導者たちは、国賊と断じられて捕まれば死刑、その人たちを助けた者でさえ同罪とする法まで成立した。老マリウスはイタリアにもいられなくなり、遠くアフリカにまで逃げのびるしかなかった。カエサル家にとっても、直接の対象にはされなかったとはいえ、息をひそめる毎日であったろう。

ところが、少年カエサルが十二歳であった年のこの事件は、これだけでは終わりにならなかった。オリエント遠征の総指揮権を取りもどしたスッラが東方に去った後、彼から後事を託されていた翌・紀元前八七年度の執政官キンナが、スッラ派の仮面を脱ぎ捨てたのである。執政官キンナは召集した市民集会で、国賊とされたマリウスとその一派の人々の名誉回復を決めた法案を成立させた。これに、元老院派に属するもう一人の執政官オクタヴィウスが、拒否権を発動する。そこに、ローマでの情勢の変化を知ったマリウスが、逃亡先のアフリカから帰国した。彼を慕って集まった六千人の兵を従えてであった。

武力によってローマを手中にしたのは、今度はマリウスとキンナのほうである。だが、今度の武力クーデターは、関係者以外の人をも巻きこまずにはおかなかった。惨めで屈辱に満ちた逃避行を忘れることのできなかったマリウスが、怨念のかたまりと化していたからだ。七十歳の老将の復讐はすさまじかった。

老マリウスが殺しまくった人々は、元老院議員五十人、「騎士階級」（経済界）に属す者一千人にものぼったといわれる。彼が五日五晩でそれをやり遂げることができたのは、奴隷の一隊を使ったからだった。

共和政ローマの指導者階級であった元老院議員五十人の犠牲者の中には、その年の執政官であったオクタヴィウスもいた。グラックス兄弟以来護民官が殺されるのには不幸にして慣れていたローマでも、現職の執政官が戦場の死でなく、同じローマ人によって殺されたのははじめての例である。また、マリウスにとっては紀元前一〇二年当時の執政官の同僚であり、彼とともに南下してきたゲルマン人の撃滅に成功し、四頭の白馬に引かせた凱旋将軍の戦車もともに御したカトゥルスも犠牲者の一人だった。紀元前九〇年の執政官であったことから「同盟者戦役」当時の最高司令官を務め、「ユリウス市民権法」の立案者でもあるルキウス・ユリウス・カエサルも、マリウスにとっては妻の縁者であったにかかわらず殺される。この人の弟ガイウス・ユリウス・カエサルも、犠牲者に名を連ねた一人だった。これらの人々の〝罪状〟は、スッラが提案し成立させたマリウスとその一派の人々を国家の敵とし死罪と決めた法の成立に、表立って反対を唱えなかったという一事にすぎない。裁判もなく捕えられ殺された人々の頭部は切り離され、フォロ・ロマーノ内の演壇の上にさらし首になった。

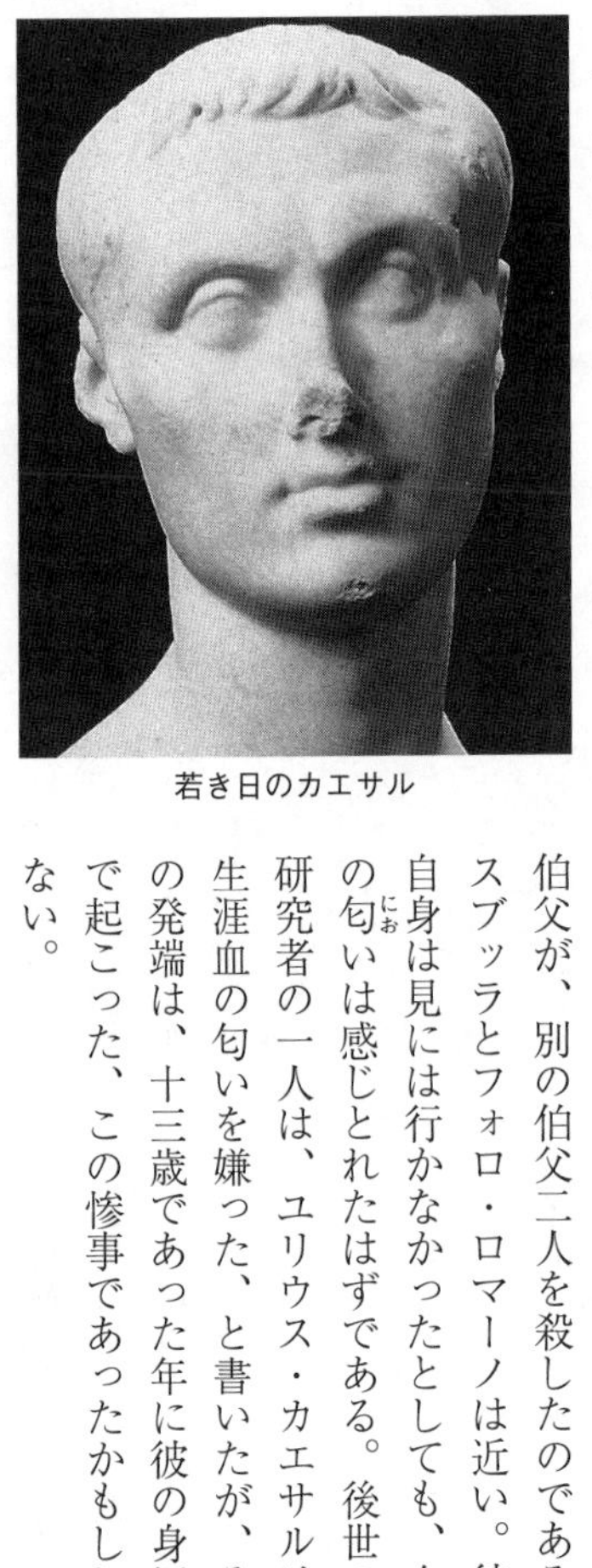

若き日のカエサル

十三歳の少年にとっては、生まれてはじめてのショッキングな出来事であったろう。伯父が、別の伯父二人を殺したのである。スブッラとフォロ・ロマーノは近い。彼自身は見には行かなかったとしても、血の匂い(におい)は感じとれたはずである。後世の研究者の一人は、ユリウス・カエサルは生涯血の匂いを嫌った、と書いたが、その発端は、十三歳であった年に彼の身辺で起こった、この惨事であったかもしれない。

マキアヴェッリについて書いていた当時、このルネサンス時代の醒めた政治思想家にとってさえ、九歳の年に眼にしたパッツィの事件が生涯尾を引いているのに驚いたことを覚えているが、感受性に恵まれた人にとっての少年時代の体験は、その人の考えの基盤にならざるをえないのだろう。そして、少年マキアヴェッリはまったくの部外者であったのに対し、少年カエサルの場合は、双方の当事者ともが彼の身近の人であった点がちがった。

老マリウスが怨念を晴らしきってはじめて、ローマは表面的にしても平穏をとりもどした。市民集会は、翌・紀元前八六年度の執政官に、マリウスとキンナを選出する。マリウスにとっては七度目の栄誉だったが、任期開始から十三日目の前八六年一月十三日、武将としてならば抜群の才能に恵まれていたこの男は死んだ。寝床の上の死で、七十歳だった。マリウスによる虐殺もその後の彼の死も知りながら、マリウスが仇敵視したスッラはその年も、イタリアにもどる気配さえ示さなかった。物事を解決するうえでの優先順位をはっきりさせる性質のスッラは、オリエントでの問題解決のほうを先行させたからである。その間イタリアでは、キンナの独裁政治がはじまっていた。

独裁政治といっても、独裁官による政治ではない。共和政ローマでの独裁官は、大権はもてても任期は六ヵ月と決まっている。この伝統は守ったキンナは、執政官に毎年つづけて選出されることで、事実上の独裁制を布いたのである。執政官は、ローマ市民権をもつ者には誰でも参加資格のある、市民集会で選ばれる。平民の雄マリウスを奉じていたローマの庶民が、マリウスの後を継いだキンナの支持層だった。この支持者たちには好評な法を次々と成立させたキンナの独裁時代、元老院は沈黙をつづけるしかなかったが、少なくとも、身の危険を感じることはなかったのである。軍事は得意でなかったキンナが、軍事力による弾圧政治をしなかったからだった。

独裁下にあったにしては、平穏な日々が過ぎていった。少年カエサルにも、十四歳が過ぎ、十五歳も過ぎ、十六歳が訪れる。この年、父親が死んだ。自然死であったようである。世間的には無名と言ってもよい程度の社会的地位しかもたなかった父親だが、カエサルは、十六歳を迎えたばかりなのに一家の家長になってしまったことになる。それでも母のアウレリアが、子をなした上層階級の女の再婚が歓迎されこそすれ非難などまったくされなかったローマの風習に反し、再婚話にも耳を貸さずに家を取りしきる役目をつづけてくれたことが、若い家長には大きな助けになったにちがいない。なぜなら、この年を境にカエサルは、「民衆派」と「元老院派」の、つまりはマリウス派とスッラ派の、抗争の波に巻きこまれることになるからである。

結婚

マリウスの後継者を任じていたキンナは、オリエントでのスッラの成功が伝えられるにつれ、いずれは帰国するスッラへの対策を確立しておく必要を痛感していた。民衆の支持は、彼らに受けの良い多くの政策の立法化で自信はある。しかし、デモクラツィアの語源どおりに「多数派の独裁」であったこの三年、この意味でのデモクラツィアには賛成でない元老院階級が、キンナを敵視したのも当然だった。とくに、元老院議員の六人に一人が、老マリウスの怨念の犠牲になって殺されている。あの当時のキンナは、マリウスに手は貸さなかったが、復讐に血迷った老マリウスを止めもしなかった。

予想されるスッラの帰国に際しての迎撃態勢確立の必要から、キンナは元老院階級への接近を謀る。その彼の手持ちのカードの第一は、老マリウス死後のイタリアの正常化の実績。第二が、若いユリウス・カエサルと自分の娘コルネリアの結婚であった。保守的な人は、何によれ混乱を嫌う。民衆の独裁と言っても不適当でないキンナの統治だったが、その間ローマでもどこでも、流血騒ぎはまったく起こらなかった。元老院議員の中には、この一事だけでキンナに好意を寄せる人も少なくなかった。

また、キンナが娘を嫁がせようとしている若いカエサルは、マリウスの甥ではあったが、マリウスに殺された元執政官カエサルとその弟にとっても甥にあたる。「ユリウス市民権法」の立案者であったこの二人には、保守派が支配的な元老院内でさえ敬意を払う人は多かった。彼らの死を惜しむ元老院議員は多かったのだ。この人々にすれば、キンナが実現しようとしている結婚話は、元老院へのキンナの、暗黙裡にしても謝罪に思えたのであった。

そして、キンナにとっても、この結婚は一挙両得であった。自分の支持層であるローマの庶民たちには、死後もなお庶民の英雄でありつづけるマリウスと自分の、いっそうの結びつきと見えることがわかっていたからだ。

これが、マリウスの息子にではなく、甥に娘を嫁がせると決めたキンナの深意だった。マリウスの息子に嫁がせるのであれば、民衆の支持は不動になっても、元老院派の好意獲得には反対の効果しかもたらさないからである。こうして、カエサル最初の結婚は、文字どおりの政略結婚になった。当時のローマの上層階級にとっての結婚は、ローマで政略結婚であるほうが普通だったが、十七歳の成年式を迎える前の結婚は、も異例に早い。花嫁の父の側に、急ぐ理由があったからである。オリエントをひとまず平定したスッラは、アドリア海を渡るだけで達せるギリシアにまで来ていた。

それにしても、花婿(はなむこ)の側もなぜ、この早い結婚を承知したのかは不明である。おそらく、カエサルが壮年期に入っても政事を相談したという、母アウレリアの意向が強く働いた結果ではないかと思う。

カエサル家は、イタリアに住む自由民すべてにローマ市民権を与えるという、画期的な「ユリウス市民権法」を立法化した人物を出した一事でもわかるように、名門貴族で元老院階級に属していながら、頑迷な守旧派ではない開明派と目されていた。そして、母アウレリアの実家であるアウレリウス・コッタ家も、これより十年後のことにも示されるように、穏健ながらも進取的な家風で知られている。その上、ローマの庶民にとってはもはや伝説的存在であるマリウスは、若きカエサルの伯父だった。カエサル家の人々の心情が、「民衆派」に傾いたとて納得がいく。

また、母親にしてみれば、その生まれからして公的な生涯を宿命づけられている一人息子の、将来まで考えて判断をくだすのも当然であったろう。グラックス兄弟以降のローマは、言ってみれば「元老院派」と「民衆派」の二大政党が並立しているようなものだった。国政の世界に出世の道を求めるならば、このどちらに属すかはっきりさせる必要がある。母アウレリアは、一人息子の将来の道を「民衆派」に選んだのである。マリウスの甥であるところから、世間の眼はすでに相当な程度に「民衆派」と見ている。それを、キンナの娘を妻に迎えることで、一段と明らかにしたのだ。

キンナの娘との結婚話が起きる以前に、カエサルには父の決めた婚約者がすでにいた。「騎士階級」(経済界)に属す家だったから社会的地位ではカエサル家に劣るが、ローマ有数の富裕者とされた人の娘だった。名門貴族でもつましい暮らしぶりのカエサル家にとっては、考えうる選択ではあったのだ。この婚約を破棄しての、キンナとの結びつきである。平時ならばいざ知らず、動乱の世では大きな賭(かけ)であった。カエサルの生涯を彩(いろど)ることになる勝負師的性向は、この母親からの遺伝であるのかもしれない。

成人式

古代ローマ人の結婚式は、神前で誓い指輪を交換し、親族友人を招いた祝宴を張り、花婿が花嫁を抱きあげて家に入るというのだから、現代と変わらない。いや、現代のほうが、古代ローマ式を取り入れたキリスト教の結婚式を通して、ローマ式を踏襲していると言うべきかもしれない。いずれにしても、まだ少年期の夫と妻のままごとのような結婚生活が、後にローマ婦人の鑑（かがみ）と讃（たた）えられることになる母アウレリアの堅実な指導のもとに、スブッラの家ではじまった。十六歳の新郎の日常は、結婚前と変わらなかった。午前中はガリア人の家庭教師についての勉学、午後は競技場での肉体の鍛練という日々がつづく。成人式を終えない前の結婚は、彼の属す階級では不都合とされていたから、通例では十七歳に達した年に行われるそれも、一年ほどくり上げられたのだろう。ひざ下までの長さしかない短衣（トゥニカ）の着用しか許されない家長では、名門カエサル家のしかも妻をもつ身としては、不都合でもあったからである。

英語でもTOGAと記す古代ローマ人の正装のトーガだが、これを身に着けるのは意外とむずかしく、背広を着るのと同じというわけにはいかない。

トーガは、楕円形（だえんけい）に切られた白い毛織布一枚でできている。布地の厚さには、季節によって多少の変化はあったようである。元老院議員になると、楕円の円周すべてを、深紅のふち取りで飾るのが許された。楕円形の長さは、着る人の身長によって決められる。これを身体に巻いていく作業はなかなかに面倒で、召使奴隷の助けを借りるのが普通だった。なにしろ、トーガをきちんと身につけるのは背広をきちんと着ている

長衣

短衣

女性の服装

のに似て、その人の身だしなみの良さを示すことでもあったからだ。

着る際には、召使奴隷がまず、楕円形の短いほうを不均等に二つに折る。身体に巻きつけたときに、トーガのふち取りのすべてが外に出るようにするためである。次いで、短衣を着て立っている主人の左の肩から、折り目が首のまわりにくるようにしながら降ろしていく。トーガの裾（すそ）は、足もとにふれる長さでなければならない。これでトーガの三分の一の処理が終わる。残りの三分の二は、左肩から背中にまわし、右腕のわきの下を通って再び左の肩に達し、左肩から背後に、マフラーを巻くようにして流す。ただし、布地の量が多いので、左肩から流すにしてもその端は、左腕でささえる必要があった。

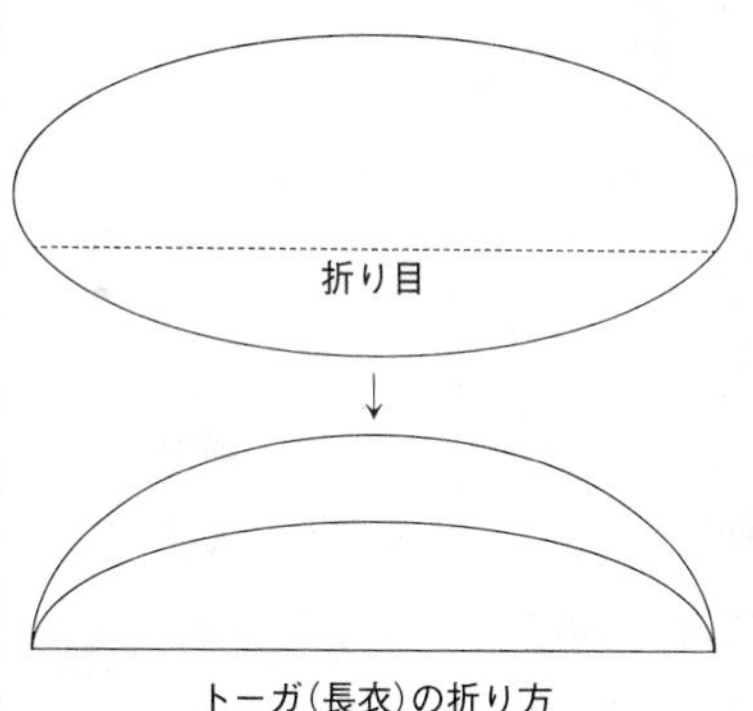

トーガ（長衣）の折り方

なにしろ、身長のほぼ三倍の長さの毛織布を二重にして巻きつけていくのだから、布地のひだの折り目がきちんとついていないと、着ているうちにだらしなく崩れてしまうことになる。召使奴隷の仕事には、二重にした折り目と多くのひだの折り目のすべてを、前夜のうちからアイロンかけでもしてきちんとつけておくという、大切な仕事もふくまれていた。電気アイロンなどはもちろんなかったが、アイロンと考えてよい器具は存在した。

重なり合うひだが身体のどの部分により多く、どの部分により少なくくるかで、着姿がすっきりと見えるかぼてぼてと見えるかが決まってくる。それで洒落者(しゃれもの)は、ひだの処理に凝(こ)ったものである。カエサルは若者の頃から、短衣に着けるベルトの位置に凝ったりトーガのひだに凝ったりして、お洒落れとして有名だった。

着るのにも着用中もこうも面倒なトーガがローマの指導者階級の男たちに好まれたのは、長く厚手な布を巻きつけるのだから立居振舞いも自然に重々しくなり、身体つきも立派に見えるからである。ローマの男たちは、荘重(グラヴィタス)という言葉が好きだった。

とはいえ、荘重も公(おおやけ)の席でのことであって、家に帰れば、トーガのように着るのにも動きまわるのにも面倒な衣服は脱いでしまう。脱ぎ捨てて短衣姿で過ごすのが普通だが、その短衣も、男用は袖(そで)が短かく、二の腕がむき出しになるものだった。長袖は、女性的とされて、男ならば冬でも避けた。寒ければ、短衣を重ね着するかマントをはおるだけだった。

十六歳のカエサルも、召使奴隷に助けられての、トーガ着用の練習にはげんだことだろう。トーガこそ、少年期を終わり青年期に入ったという、証明書のようなものであった。

しかし、ままごとのような結婚生活もトーガを着けての立居振舞いを練習することも、平和につづけていくことを許されない時期が到来する。嵐(あらし)は、予想していたよりもよほど早く訪れたのだ。

紀元前八四年も末近く、スッラを迎え撃つ準備に没頭していたキンナが、軍団編成中の混乱に巻きこまれて殺された。そして、翌・前八三年の春、四万の大軍を率いたスッラが、イタリア半島の南端にある、ブリンディシに上陸した。

第三章　青年前期　Adulescentia（アドウレシエンテイア）

紀元前八三年〜前七〇年〈カエサル十七歳—三十歳〉

独裁者スッラ

ルキウス・コルネリウス・スッラという男の最大の特質は、良かれ悪(あ)しかれはっきりしていることであった。言動の明快な人物に、人々は魅力を感ずる。はっきりする、ということが、責任を取ることの証明であるのを感じとるからだ。敵にまわさなければ、痛快でさえある。

名門中の名門コルネリウスの血をひきながらも、スッラというローマ史上では無名の家に生まれたこの男は、父母の名さえも不明で貧しい青年時代を過ごしたにもかかわらず、肉体的にも精神的にも、実に貴族的な男だった。すらりと背の高い彼には、トーガがよく似合ったであろう。マリウスのように兵士たちと対等に付き合う司令官ではないのに、部下たちは彼に心酔していた。彼が指揮した戦闘が、常にあざやかな勝利で終わったからだけではない。人は、仕事ができるだけでは、できる、と認めはしても、心酔まではしない。言動が常に明快であるところが、信頼心をよび起こすのである。そして、スッラの強みには、悪評に強いことも加わる。つまり、世間の評判を気にしない男であったのだ。

共和政ローマでは、国境である北のルビコン川と南のブリンディシからは、元老院の許可なしには、将軍たりとも指揮下の軍団を率いて入ってはならないと決まっていた。この国境で、首都ローマでの凱旋(がいせん)式での再会を約して、ひとまずは解散しなければならない。また、凱旋式挙行の日までは、軍団なしの身でも、軍司令官はローマの城壁の内側に入ることさえ禁じられていた。これらを守ってこそ、ローマの法に忠実であることになる。

スッラ

しかし、スッラは、五年前の紀元前八八年に、自分が選ばれていたオリエント平定のための遠征軍の総司令官をマリウスが横取りした際に、オリエント遠征用に編成中だった軍団を率い、武力による首都制圧という前代未聞のことをやってのけた男であった。オリエントの平定もひとまず終わり、軍団を率いてブリンディシに上陸した前八三年、彼の心の中には、ローマの男にとっては最高の栄誉でありスッラ自身はまだ一度もそれに浴していないにかかわらず、そして、オリエントでの彼の戦績は充分以上に凱旋式を挙げる資格があったにもかかわらず、そのようなセレモニーへの執着はまったくなかった。スッラは、マリウスやキンナによって確立した観さえあった、「民衆派」の勢力の打倒を決意していたからである。もちろんのこと、ブリンディシに上陸した後でも軍団は解散しなかった。

もしも壮年になってのカエサルのライヴァルがポンペイウスでなく、スッラであったならばどうなっていただろうとは、歴史を学問としてだけでなく教養としても愉しむ人の好む「イフ」の一つである。答えは、簡単には出ないだろう。だが、紀元前八三年当時のスッラは五十五歳、カエサルは十七歳だった。これも、人間にとっては幸運の一つなのである。

ブリンディシに上陸した後も軍団を解散しないことで決意を明らかにしたスッラの許に、マリウスの虐殺を逃れ、キンナの独裁時代も息をひそめて過ごした人々が馳せ参ずる。ルビコン川の北からは、元老院派の重鎮メテルス一門の長でアルプス以南のガリア地方駐屯軍司令官でもあったメテルス・ピウスが、配下の二個軍団とともに到着した。父と兄をマリウスによって殺されスペインに逃げていた三十一歳のクラッススも、逃亡先からもどってくる。これもマリウス派に父親を殺されたポンペイウスも、ひそんでいたピチェーノ地方から馳せ参じた。二十三歳のポンペイウスは、大地主の家柄もあって、自費で編成した三個軍団を連れての参加である。これにはスッラも、おおいに喜んだ。

これで、スッラのもつ戦力は、紀元前八八年当時から従えている五個軍団にギリシアから参加の一個軍団、メテルス・ピウスの二個軍団、ポンペイウスが連れてきた三個軍団の計十一個軍団になる。歩兵六万五千に騎兵一万。計七万五千にもなる大戦力だった。

一方、このスッラを迎え撃つために結集した「民衆派」の戦力は、総計十二万。前執政官（プロコンスル）の資格で指揮をとる老マリウスの息子の他にその年担当の二執政官まで司令官に名を連ねたから、ローマの国家としては、こちらのほうが正規軍である。十二万もの兵士を集められたのは、老マリウスをいまだ忘れず、キンナの政策の数々によって自分たちの立場が強化されたことも忘れなかった庶民がこぞって志願したからだ。この「民衆派」の泣きどころは、指揮官クラスならばセルトリウスのように人材がいなくもなかったのに、要（かなめ）の総司令官ともなると、スッラに対抗できる人材に恵まれなかったことであった。

それでも、二年にわたった戦役が激闘の連続で終始したのは、「元老院派」と「民衆派」という、階級闘争であったからである。また、老マリウスの怨念を晴らすという形にしても、「元老院派」の血を多く流してしまった前科をもつ「民衆派」は、スッラの復讐を怖れていたから必死だった。

イタリア半島全域で展開されたこの内戦も、紀元前八二年十一月一日に行われた、ローマの城壁まぎわでの戦闘を最後に、ようやく終わった。公敵とされていたスッラの、圧勝である。老マリウスの息子は戦死、執政官の一人はアフリカに逃げ、セルトリウスもスペインに逃亡。「民衆派」は、指導層も軍団も総崩れだった。戦場にはされなかったがために破壊一つない首都ローマの城門から、軍団を率いてスッラが入城したのは、最後の戦闘の翌日の朝早くである。時をおかずに、スッラの命ずる反対派一掃作戦がはじまった。

マリウスによる殺戮は怨念ゆえの行為だったが、クールな男スッラによるそれは、「民衆派」を物理的に消す目的でなされた点がちがう。だが、惨劇ということならば同じだった。そして、私怨ならばそれなりの限度があるが、政策を理由とする以上、犠牲者の範囲も広がり、実行もより組織的に行われざるをえない。惨劇の実動部隊には、ローマ市民を使っては同じローマ市民相手に追及の手も鈍ると見たマリウスは奴隷たちを使ったが、スッラもこれは踏襲した。しかし、マリウスはことが終わった後でこの奴隷たちを殺したのが知られていたので、ただ単に使ったのでは彼らが動かない。それでスッラは、マリウスのときとは数も桁(けた)ちがいに多い一万人にもおよぶ屈強な体格の奴隷をひとまず解放して解放奴隷の身分に格上げし、彼らに自分の家門名であるコルネリウスまで与えて再び奴隷に落ちないようにしたうえで、反対派一掃の実動隊として使ったのである。「コルネリウス組」(コルネーリ)と呼ばれたこの者たちによって、マリウスの墓はあばかれ、遺灰はテヴェレ河に投げ捨てられ、マリウスの対ユグルタ、対ゲルマン人の戦勝記念碑は破壊され、マリウスの養孫は殺された。

五十六歳のスッラは、マリウスやキンナにつながるいわゆる「民衆派」に属するとされた人々の抹殺(まっさつ)にぬかりのないように、名簿まで作成した。この名簿に名が記されるや、どこに隠れても助かる見込みは失われた。スッラが、懸賞金つきの密告制度を採用したからである。しかも、名簿に載った人物の隠れ場所を密告するだけでなく殺した者には、殺された人の資産から奪った莫大(ばくだい)な額の報奨金を与えた。この制度の採用によって、スッラの「民衆派」一掃作戦は、より陰惨な色彩を帯びる。金欲しさのあまり息子や親族や召使奴隷までが、一掃作戦に加わったからだった。だが、一方では、殺すとおどされても口を割らずに主人を守り通した奴隷や、自らが盾になって夫を逃がした妻のようなエピソードも多く生んだ。

スッラの「処罰者名簿」には、八十人近くの元老院議員、一千六百人の「騎士」（経済人）もふくめて、四千七百人が名を連ねていたという。これらの人々には、裁判もなく殺された末財産も没収されるか、殺されなくても財産を没収されるかの道しか残されていなかった。そして、その全員が子孫にいたるまで、ローマの公職からの追放に処されたのである。没収された資産は、競売に付された。まったくのたたき売りに乗じて大儲け（おおもう）けしたのは、スッラ派に連なる人々である。その中には、スッラ家の解放奴隷までいた。

スッラの行った「民衆派」一掃作戦は、首都ローマに住む有力者にかぎらず、イタリアの各地方にもおよんだ。ローマ正規軍に加わってスッラに抵抗した中部イタリアのエトルリア、南部イタリアのサムニウムとルカーニャの住人たちは、「ユリウス市民権法」で保証され、キンナによって実際に与えられていたローマ市民権を取りあげられただけでなく、有力者たちの死刑、所有地の没収と厳罰に処された。スッラは、

「民衆派」の地盤をも、徹底して破壊する考えであったのだ。

スッラの作成した「処罰者名簿」には、一人の若者の名もあった。マリウスの甥（おい）でありキンナの婿であるところから、スッラにすれば若きカエサルも、一掃さるべき「民衆派」の立派な一員だった。

しかし、スッラの周辺にいた人々が、父親もいないカエサル家の後継ぎがまだ十八歳でしかなく、政治的な行動は何一つしていないのだから助けてやってほしいと頼みこんだ。はじめのうちは、スッラはそれに、耳を傾けることさえもしなかった。ローマの貴族の子弟の例に忠実に、十三歳の年からカエサルも、ユピテル神殿の少年祭司の役を務めている。祭事の折り折りに、スッラも若者と顔を合わせていたのだ。だが、ローマでは大変な敬意を払われている女祭司（ヴェスターリ）の長までが助命運動に加わってからは、絶対者スッラも、しぶしぶではあっても助命の嘆願を容（い）れるしかなかった。「名簿」から若者の名を消しながら、スッラは言った。

「きみたちにはわからないのかね、あの若者の中には百人ものマリウスがいることを」

助命には承知したが、スッラは若者に、一つのことを要求した。キンナの娘を離婚せよ。これはもう命令だった。三個軍団を自腹を切って編成してスッラに協力して闘い、アフリカでの「民衆派」狩りも果して帰国し、その功によって二十四歳という異例の若さにかかわらず特別にスッラが許した凱旋式を挙げたポンペイウスでさえも、スッラの命令に服し、「民衆派」とされて殺された人の娘であった妻を離婚したのである。離婚して、スッラの勧めるままに、スッラの妻の連れ子と再婚していた。カエサルも、「処罰者名簿」から名を消されただけでも恩に感じてしかるべきであり、また、キンナは死に「民衆派」は壊滅状態になった今、不都合になった妻を離婚するほうこそ理にかなっていると、スッラはもちろんのこと、スッラに彼の助命を頼んだ人々ですらも思ったのである。だから、十八歳の若者は絶対者スッラの命令に服すであろう、と。

しかし、ユリウス一門の若者から返ってきた答えは「否（いな）」だった。予期しなかった対応に、スッラは激怒する。「名簿」に再び名が載ったわけではないから、見つけしだい、即、殺す、ではなかったが、「コルネリウス組」の一隊が若者の逮捕に向った。十八歳のカエサルは、ローマから逃げるだけではすまず、イタリア中を逃げまわることになる。高熱の身を、洞窟（どうくつ）にひそんで難を逃れたこともあった。それでもスッラの追及は執拗（しつよう）で、イタリア内の逃避行も危険になる。結局、ギリシアに渡り小アジアに逃げてはじめて、スッラの怒りをかわすことができたのであった。

なぜ十八歳でしかない若者が五十六歳の絶対権力者に「否」と答えたのかは、カエサル自身は書き遺していないので、古代から史家たちが推測をくり返してきたところである。その一生を通じて、結婚も政略と考え実行してきたカエサルのことだ。キンナの娘コルネリアとの結婚も政略なのだから、不都合になれば終わりにするのが政略である以上、スッラの命に服して離婚したとて非難する人は少なかったであろう。それなのに、カエサルは「ノー」と言った。

史家の一人は、さすがにカエサル、若い頃から豪胆であった、と言う。別の一人は、これは現代の研究者だが、「民衆派」を裏切るような行為は、その派のリーダーを目指すカエサルにはしてはならないことであったからだ、とする。別の研究者は、父親に不幸な死に方をされて悲しんでいたにちがいない、しかも妊娠中の若い妻を見捨てる気持になれなかったからだろう、と言う。

私には、これらの推測はすべて妥当であるように思う。だが、後のカエサルの言行から推し量れば、もう一つの理由もありそうに思える。つまり、カエサルは、絶対権力者といえども個人の私生活に立ち入る権利までは有しない、と考え、十八歳当時も、その自己の考えに忠実に行動したからではなかったか。後にカエサルも絶対権力者になるが、そのときでも彼は、強硬な反カエサルだった人の娘を妻にしていた彼のブルータスに対してさえ、また他の誰に対してさえも、この種のことを匂わすことすらしていない。スッラも、首尾一貫しているところが特質だったが、カエサルも、年齢のちがいも思想のちがいも超えて、その点では似た者同士なのであった。

逃避行

「否」と答えたがためのこのときの逃避行には、勉学の机を並べ体育の時間もともにしてきた仲の、同年輩の家庭内奴隷の二、三人が同行したことだろう。身分は奴隷であっても、幼時からともに育った仲だからこそ、このような場合にも信頼できる従者になれるのである。いや、このような事態を予想せざるをえなかったからこそ、ローマの良家では、主人の子も奴隷の子もともに育てるやり方を採っていたのだった。

スッラの追及もさすがに及びにくくなる小アジア西岸に渡ってからは、逃避行とはいえ様子はだいぶ変わったにちがいない。なにしろ、青年カエサルにとっては、生まれてはじめてほんとうの意味で親もとを離れるのである。愉快でなかったはずはない。

経費の面でも、贅沢(ぜいたく)は許されなかったにしろ、堅実な母アウレリアのこと、他人の好意にすがる必要はない程度の配慮はしてくれていただろう。それに、若さは不幸にさえも明るい光りを当てる。また、カエサルの人となり自体が、マイナス面よりもプラス面のほうに眼が行く性格でもあった。

「逃避行」とはいえ、当時のカエサルは十九歳。一方、スッラは五十七歳に達している。カエサル家の縁故関係を総動員して帰国運動をくり広げ、他国に隠れ棲(す)みながらその経過に一喜一憂するよりも、若いカエサルは、そのことに関しては何もしないで待つことにしたのだった。もちろん、スッラの死を、である。ただし、スッラは痩(や)せ型でも壮健で、病気など知らない身を誇っている。だから、待つとしても、この先何年待つのかはわからない。やはり、これも賭(かけ)なのであった。

逃避中のカエサルには、彼が無聊(ぶりょう)にときを過ごす性格でなかった以上、二つの選択肢があった。〝大学〟に進んで学業を充実させるか、または、兵役に就く年齢の下限である十七歳は過ぎているのだから、この機に軍団経験をはじめるか、の二つである。

紀元前一世紀のローマ人にとっての〝大学〟は、アテネとロードス島の二箇所だった。だが、スッラという男は、抜群の政治家であり優秀な武将であるのに加え、自分からはひけらかさないが教養も高い。アテネ滞在中に埋もれていたアリストテレスの著作集を提供され、ただちにその重要性を理解してローマに持ち帰り、刊行させたのも彼である。ローマの良家の留学先であるアテネやロードス島に出没したのでは、スッラに気づかれる危険があった。

それで、若きカエサルは、軍隊に志願する道を選んだのである。軍団内にまぎれこんでしまえば、軍隊というものがあちこち移動し戦いを重ねていくものである以上、経験を積み見聞を広めながらも、身をひそめる場所としても適していると考えたのだろう。

十九歳の若者は、小アジア西岸一帯の属州総督だったミヌチウスの陣営に行き、軍団入りを志願した。ミヌチウスは、オリエント遠征当時のスッラの部下だった男だから、スッラ派に属す。だが、官僚タイプではなく、親分肌の男でもあったのだろう。最高権力者の逆鱗（げきりん）にふれて逃げていながら堂々と本名を名乗ってあらわれた若者を、元老院議員を務めた人の子息には開かれている、即時の参謀本部入りをもって迎え入れたのである。若きカエサルは、幕僚の末席に連なることになった。逃避行をともにしてきた従者奴隷たちも、若き将官の従者に早変わりした。

総督ミヌチウスの統治地域には、小アジアの西岸に近接して点在する、歴史的にも民族的にもギリシア文明圏に属すエーゲ海の島々もふくまれている。だが、その中でも強力なレスボス島が、ことあるごとにローマの覇権に盾ついていた。この一帯のローマ覇権下での秩序維持の責任者である属州総督には、放置してすませられることではない。レスボス島は、黒海から地中海に抜ける航路を監視下における位置にあった。

総督ミヌチウスは、レスボス島への軍事行動を決め、そのための準備に入る。しかし、レスボスは海上に浮ぶ島だ。経済的にも豊かな住人たちは、島の東端に位置する首都には昔から、堅固な城壁をめぐらせていた。このレスボスに対する軍事行動は、島の西側から上陸し首都に向けて攻撃する陸上戦と、海側から攻める二面作戦で行くしかなかったが、そのためにも本格的な海軍が必要になる。軍船派遣は、小アジアの黒海に面する地方の王国ビティニアに頼むことになった。ビティニアとローマは、同盟関係にある。ローマとこの種の同盟国の関係は、安全保障はローマが受けもつ代わりに、同盟国はそれぞれの得意とする分野でローマに協力する、と決まっていた。形式上は独立国だが、事実上はローマの属国である。このビティニアに軍船派遣を要請しに行くのは、さして困難な任務ではなかった。

簡単な仕事と思われたのか、これに、二十歳にはまだ間があるカエサルが選ばれたのである。だが、総督から王の許(もと)に送られたこの使節は、使命感に燃えたあげくに早々に任務を終え、軍船隊を率いて馳けもどってくる、というようなことはしなかった。軍船の準備が整うのを待つという大義名分があったにせよ、その間ビティニア王の宮廷で、オリエントの豪奢を満喫して過ごしたのである。ビティニア王ニコメデスに気に入られたからでもあるが、宮廷で毎夜のごとく開かれる宴では、王の寵童たちに混じって酒を注いでまわったりもしたという。そのうえ、王とは男色関係にあるという噂まで広まった。ギリシア人とはちがってローマ人の間では、この当時はまだ、男色は良い眼では見られていない。これはもう、立派なスキャンダルだった。真実の度ははなはだ怪しいにせよ、この噂は彼に一生ついてまわることになる。とはいえ、生涯を通じて、公的にはストイックでも私的にはエピキュリアンでありつづけたカエサルである。男色まではいかなかったとしても、オリエントの宮廷の豪奢と放埒は、精いっぱい愉しんだにちがいない。それでも、公的にはストイックなのだから、任務を忘れることはない。準備なった軍船団を率いたカエサルは、黒海からボスフォロス海峡を渡り、マルマラ海を過ぎ、総督ミヌチウスが待ちうける海上に姿をあらわした。レスボス島攻防戦のはじまりでもあった。

カエサルにとっての最初の軍事体験は、このレスボス島攻防戦になる。どれだけの

① ストア学派の学者・その信奉者・禁欲主義
② 快楽主義 美食家

数の部下をまかされる身分であったのかは不明だが、参謀本部での机上の仕事に専念していなかったことだけは確かだ。直訳すれば「市民冠」とするしかない〝勲章〟を受けているからである。「市民冠」とは、葉の繁った樫の小枝を縒り合わせて作る冠で、自らの生命を賭しても味方を救った戦士に与えられる勲章である。樫の小枝を束ねて冠を作るのは、助けられた当の兵士たちの手でなされる。ローマの軍団では、二番目に価値あるとされた賞であった。これを受けた者は、平時の祭日にも着用を許されている。銀か何かで、保存用を作らせたのだろう。もちろんこちらのほうは、自腹を切って。

レスボス島が制圧された後は行政の仕事にまわされてしばらくが経った頃、カエサルは総督ミヌチウスに、勤務地変更を求めたようである。今度は小アジアでも南岸にある、キリキア地方が勤務地だった。紀元前七八年のことであったらしい。ローマでは、元老院主導の共和政体の立て直しを強行したスッラが、独裁官は辞任していたがまだ健在だった。それで、二十二歳になっていたカエサルは、キリキア地方の海賊対策に手を焼いていたこの地方の属州総督セルヴィリウスの下で働こうと考えたのだ。あいかわらず、前線勤務を好んでいたらしい。レスボス戦役を聴き知っていた総督セルヴィリウスは、「市民冠」に輝くこの若者を喜んで迎え入れた。

ところが、キリキア駐屯の軍団に移ってまもなく、軍団基地にローマからの急使が到着した。スッラの死を報じた使いだった。

ただちに総督に除隊を願って容れられたカエサルは、錨を上げようとしている船ならば行き先も確かめないせわしさで、ローマに向けて発った。

直行ではなかった可能性のほうが大きいから、小アジアの南岸からローマまでは、まずギリシアに渡り、ギリシアを横断し、アドリア海を経てブリンディシに上陸し、そこからはアッピア街道を北上する道程であったろう。二ヵ月はかかる旅になる。ローマの家に帰り着いたのは、スッラの荘厳な国葬も終わり、スッラに心酔しその葬列に全員で加わった老兵たちの姿も、一人残らずローマから消えた頃であった。しかし、四年ぶりに眼にする首都ローマだったが、二十二歳の若者にはまだ、活躍の機会を恵んではくれなかった。スッラ派の重鎮であるルクルスやクラッススやポンペイウスが、フォロ・ロマーノを肩で風切って歩む主人公たちであったのだ。スブッラの家では、母アウレリアと妻のコルネリアと、はじめて見る娘のユリアが待っていた。

帰国

カエサルがもどってきたローマでは、民衆はいたが、「民衆派」は骨抜きにされていた。独裁者スッラが、「処罰者名簿」に記された「民衆派」であろうが「民衆派」シンパであろうが、偏執的と言ってもよいほどの周到さで殺しつくしたからである。また、その後に実施した「スッラの国政改革」も徹底していたから、「民衆派」が拠りどころにしてきた護民官さえ、人材を欠く有様だった。スッラによる国政改革については、くわしくは『ローマ人の物語』第Ⅲ巻の「マリウスとスッラの時代」（文庫版第6〜7巻）を読み返してもらうしかないが、一言で言えば、スッラは、「民衆派」が再び台頭しようにもそのための芽でさえ刈り取ってしまった、と言ってよいだろう。ただ一つの芽だけは残ったが。

しかし、あれから三年余りが経って、芽は少しは成長したが、それでもいまだ二葉でしかないことをカエサルに悟らせたのは、母親ではなかったかと思われる。スッラの死を知るや何はさておいても急ぎ帰国したにしては、帰国後のカエサルには動きがまったく見られない。

教育を受けることも認められず宴からも閉め出され、そのような席では女はヘタイラと呼ばれる職業婦人しか同席させなかったギリシアとちがって、教養の高い女でも白い眼で見られず宴にも同席できたローマの女たちであったが、カエサルの母アウレリアは、その中でも一段と知性に恵まれた女だったとは、古代の史家の一致する点である。一人息子の留学中でも本国の情勢を把握するのも、それができる能力をもち、またそれをできる環境にもあった。

カエサル家のほうは、マリウスによって当主二人が殺された後は音無しの状態になってしまったが、実家のアウレリウス・コッタ家がある。この三年後の紀元前七五年には、アウレリアの兄が執政官に選出される。カエサル家同様元老院内では開明派と見られていた家系で、執政官アウレリウス・コッタは、穏健なやり方ながらも、スッラの復古的な体制を見直す法を成立させる人物になるが、ローマの上層部にいただけに、実の妹に正確で現実的な情報を与えるには最適の人であったろう。

カエサルが帰国してほどなく、鉄のシステムと思われていた「スッラ体制」に最初の反撃が起こる。紀元前七八年の執政官だったレピドゥスが、属州総督として赴任するために編成していた軍団を使って、「スッラ体制」を実力でくつがえそうとしたからだった。スッラの犠牲者の中で生き残った少数の一人であるカエサルに、まったく話がなかったということはありえない。それなのにカエサルは、参加していない。そして、カエサルの読みは正しかった。レピドゥスの蜂起(ほうき)は簡単につぶされ、レピドゥス自身は、サルデーニャ島に逃れたがそこで病死した。あげたとたんに散った、花火のような反撃だった。

レピドゥスの失敗の原因は、二つある。一つは、レピドゥスに人望がなかったことだ。スッラによって殺された人々の資産が競売されたおりに、たたき値で買って大もうけした一人だった。そのような人物がスッラが死んだとたんに「民衆派」を名乗っても、彼の政策ウンヌンよりも前に彼の人格が、参集すべき人々の足を止めてしまう。原因の第二は、スッラによって再び力をとりもどした元老院が、断固とした鎮圧策に出たからである。非常事態宣言でもある「元老院最終勧告」が、そのときは「共和国防衛のための」というただし書きまで加えられて発布され、これによって対レピドゥスに送られた軍団は、弱冠三十歳のポンペイウスの指揮よろしく、早々と、それも徹底してレピドゥス軍を壊滅してしまったのだった。「民衆派」は、またもや沈黙するしかなくなった。

弁護士開業

　この雌伏(しふく)の時期に、二十三歳になっていたカエサルは、弁護士で身を立てることを考えたようである。弁護士といってもローマのそれは、第Ⅲ巻でも述べたように、弁護だけをする人ではない。告発側にまわることも多いから、検事役にもなる。しかも、有名人物を告発して勝訴でもしようものならとたんに名声があがるから、政治キャリアを目指す者にも魅力ある職業であった。なにしろ、ローマの主要官職はすべて、市民集会での投票で決まるのである。

　弁護士開業はしたものの、いかに名家の若者でも未経験者に弁護を頼む人もいなかったろうから、カエサルの初仕事は告発のほうであったにちがいない。初回の相手が誰であったのかは知られていない。いずれにしても、結果は敗訴だった。

　二回目は、大物を狙(ねら)った。スッラの側近として知られ、執政官も務め、前執政官の官名で小アジアの属州総督まで務めあげたドラベッラである。元老院内でも有力なこの人物への訴因は、属州統治中に不正なやり方で蓄財をした、ということだった。

ところがこれも、敗訴に終わった。二十三歳ではどうしようもない、未熟さのためであったと言うことはできる。また、スッラによって、陪審員は元老院議員の独占という、グラックス兄弟以前のシステムにもどっていたという理由もあげられるだろう。だが、告発者カエサルの論告の進め方が、司法の殿堂のはずのローマの法廷の空気には異質であったことも、敗因の一つではなかったかと思う。なにしろ、被告人ドラベッラの属州統治時代の職権乱用のひどさは、元老院でも良識ある人ならば眉(まゆ)をひそめるほどであったのだから。

オラトール、つまり話をする人という言葉で総称されたローマ時代の弁護士だが、被告を弁護する立場であろうと被告を告発する側にまわろうと、裁決は陪審員が下す以上、陪審員たちを説得するに足る弁論術が必要とされる。ところが、陪審員といえども、弁護士稼業(かぎょう)の成功者キケロでさえ白状したように、傍聴席を埋める人々の反応にまったく影響されずに判決を下すことはむずかしいのが現実だ。なぜなら、彼らとて傍聴人たちとたいした変わりはない程度に、第三者だからである。それで、オラトールたちの弁論もいきおい、大向うの受けを狙ったものにならざるをえなくなる。

弁護士稼業は全盛期のアテネにもあったが、その当時のアテネ式の弁論は、まるで古典ギリシアの彫刻のように、余計なものははぶいたエッセンスのみで押していくスタイルだった。その後、都市国家アテネの衰退と呼応するかのように、小アジアの西岸にあるペルガモン王国で、美辞麗句を並べたてた弁論術が生れる。この、古代ローマ人に言わせれば「巻き毛」スタイルがローマに移入され、紀元前一世紀当時のローマの法廷では、装飾過多なこの式の弁論が大勢を占めていた。「アジア派」とも呼ばれたこの派の代表格はホルテンシウスで、彼は「法廷のプリンス」と賞讃され、執政官に選出されるほどの名声を得ていた。ちなみに、カエサルが告発したドラベッラの首席弁護人が、このホルテンシウスである。

一方、ちょうどこの時期に〝大学留学〟から帰国したキケロがはじめることになる弁論術は、アテネ式とアジア式の折衷スタイルだと言われている。文章上ならば、私も同意する。しかし、キケロの弁論は、後にカエサルのものとキケロのものを訳すので比べてみてほしいが、あくまでも弁護士のものである。つまり、陪審員に訴え傍聴席にもアッピールすることを狙う以上、単刀直入よりもまず外堀から埋めていき、最後は聴く人の情に訴えることで、いわゆる情状酌量をかち取るのがキケロの法廷での戦術であった。今でも欧米の弁護士たちにもよく見られるスタイルだから、二千年後でも彼が弁護士の「父」とされているのも納得がいく。

反対に、その気質からしてカエサルには、まずもって「巻き毛」スタイルでは話をはじめることすらできなかったであろう。また、カエサルの文章も演説も常に、単刀直入に問題点を突くのが特色だ。そして、情状酌量を訴えるなど死んでもできないのが、彼の性格だった。それならば「アテネ式」が近いように思えるが、理(ことわり)を踏んで説くスタイルでも、聴く人の心理を突くぐらいの工夫は必要だ。この種の工夫は、後の彼にはあった。もしかしたら、二十三歳当時のカエサルの弁論には、このちょっとした工夫がある。もしかしたら、二十三歳当時のカエサルの弁論を、アテネ式の単なる踏襲と言えない理由はこの点に充分でなかったのかもしれない。

いずれにしても、二十三歳のカエサルの弁護士開業は、見事な失敗で終わった。ホルテンシウスやキケロのように、弁護士で成功することで金持になり政界進出も果すなど、あきらめざるをえなかったであろう。しかし、二度目の敗訴は、弁護士で身を立てることはあきらめた、ではすまなかった。スッラ派の大物ドラベッラを法廷に引き出したことが、カエサルにとっては、敗訴に終わった裁判が終わった後も尾を引いたからである。

ローマの有力者たちは改めて、四年前にスッラの命令を拒否した若者が、この告発者と同一人であることを思い出した。世は、スッラの死後もスッラ派の人々の天下がつづいている。レピドゥスの蜂起に参加しなかったことでミソをつけずにすんだカエサルだったが、今度は、ほとぼりを冷ます必要を感じざるをえなかった。「民衆派」として注目されようものなら、まだ危険だった。

首都ローマから二、三十キロほど離れた地にある山荘にでも謹慎すればすんだのではないかと思うが、事態はもう少し深刻であったらしい。また、田舎に引っこんで無聊に時を過ごすのは彼の好みでなく、田園生活を愉しむ年齢でもなかった。おかげで、再度の国外脱出である。今度は追われて逃げるのではないから、軍役志願ではなく、〝大学〟に進学することにする。進学先は、アテネと並んで当時の〝最高学府〟の名が高かった、ロードス島に決めた。

国外脱出

海外留学は、ローマの良家出身の二十四歳にとっては、ほとぼりを冷ますにはきわめて自然な選択であった。共和政ローマでは、三十歳が公職キャリアの出発点となるのが一般的であったので、二十代はまだ充電期と考えられていたからである。しかし、もしもカエサルが、周囲の評判や他人の栄達に敏感に反応する気質の持主であったら、二十代はまだ充電期、などとのんびりかまえてはいられなかったであろう。カエサルが国外脱出をしなければならなくなったと同じ頃、わずかに六歳しか年上でないポンペイウスのほうは、ローマ正規軍四万を率いる総司令官に任命され、スペインに向けて堂々たる出陣を果していたのである。マリウス派のセルトリウスが、レピドゥスの残兵も加えてスペインの地で反ローマの蜂起を起こしていたからだった。三十歳にしてすでに総司令官とは、スッラが定めたローマの公職システムには反する特例人事である。この早熟な軍事の天才は、二十三歳で三個軍団の指揮、二十五歳で凱旋(がいせん)式、三十歳で総司令官と、出世街道を驀進(ばくしん)中だった。同じく祖国を後にするにしても、天と地の差であったのだ。

幸いにして、待つことを知り楽天的でもあったカエサルだが、〝大学〟で学を深める前に海賊に出遭うとまでは、予想していなかったであろう。目的地のロードス島に向う海上で、乗っていた船が海賊船に襲われ、捕虜にされてしまったのだった。

海賊

小アジアの南西部とそれにふれそうなほど近くに点在するエーゲ海の島々は、地勢的にも入江に恵まれ、また黒海からシリア、エジプトへの航路にも当っているため、海賊の出没することの多い海域として有名だった。海賊たちの本拠地は、小アジア南東部に位置するキリキア地方である。キリキアといえば海賊と返ってくるほどで、この地方を覇権下に置いたローマの悩みの種であったのだ。獰猛（どうもう）なことでも有名な海賊たちは、捕獲した船の船客たち一人一人に身代金の値をつけていく中で、カエサルには二十タレントという値を言い渡したのである。タレントとはギリシアの通貨で、この地方がギリシア経済圏に入るゆえに身代金もギリシアの通貨建てにしたのだと思うが、二十タレントをローマの通貨であるデナリウスに換算すると、三十万デナリウスになる。兵士の一年の給料が、七十デナリウスであった時代だ。二十タレントは、四千三百の兵を集められるほどの金額になった。

ところが、自分の値がそれと聴いた若者は、大笑いした後で言った。「おまえたちは誰を手中にしているのか知らないのだ」。そして、自分のほうから身代金を、五十

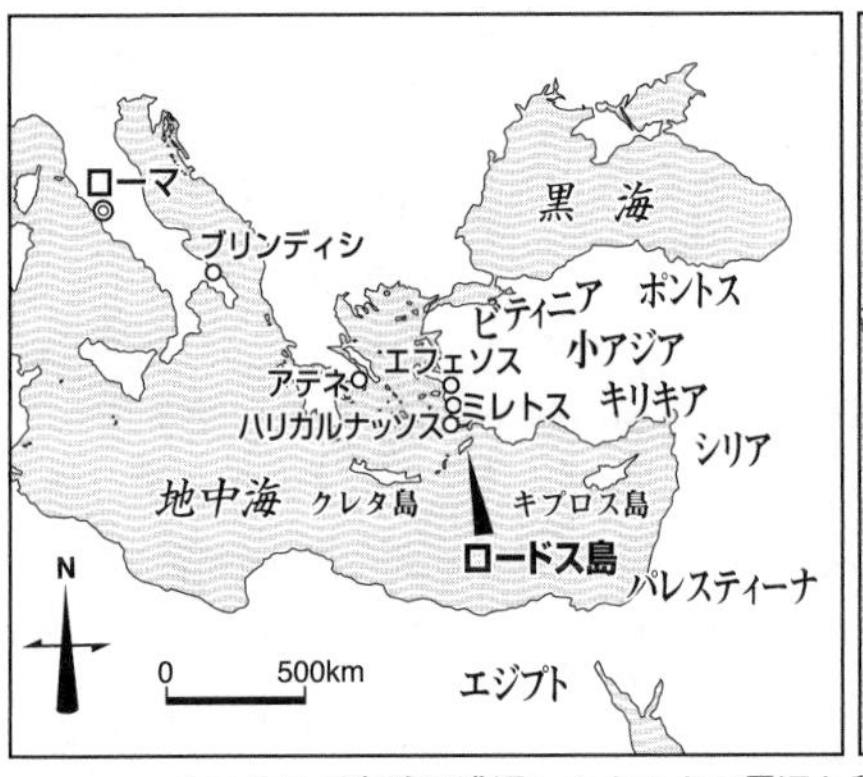

カエサルが海賊に遭遇したキリキア周辺と留学先のロードス島

タレントに値上げしたのである。従者たちを金策に送り出した後の彼自身は、一人の友と二人の従者とともに海賊たちの間に残った。

二十タレントでさえも相当な金額なのにわざわざ自分のほうから五十に値上げしたということの一事は、カエサルが友人に送った手紙をもとにしたリヴィウス著の『ローマ史』の記述が最初であったといわれる。そして、これを紹介する史家たちはいずれも、若きカエサルの豪胆さに感銘を受けると同時に、自己顕示欲のほうも若い頃から相当なものであった、という感じで記すのが常である。私も同感だが、二十を五十に値上げした裏には、もっとクールな計算があったのではないかと思う。

まず、キリキアの海賊たちの残虐さは有名だった。人を殺すなど、後先のことなど考えずにやってのける者たちだった。このような連中の手中に落ちた以上、何にもまして優先さるべきは殺されないことである。二十代半ばのカエサルは、それを完全に保証するには、二十タレントは充分とは言いきれないと判断したのだ。といって、多ければ多いほど安全とも言えない。ローマにもどって金策する時間もなかったろうから、小アジアのローマ属州内で高利の金をかき集めたにちがいないが、金額が増えれば増えるほど金策も困難になる。身の安全と身代金の金策の可能性を秤（はかり）にかけたぎりぎりの線が、五十タレントではなかったろうか。

　なぜこのような推理をするかというと、後のカエサルの「金銭哲学」と呼んでもよい金の使い方が、いずれの場合でも必ず、この場合のように「秤」にかけた結果だからである。


　気分次第で人を殺すなど朝飯前であったキリキアの海賊にとってさえ、若者の顔が五十タレントの大金に見えたことだろう。というわけで、金をもった従者たちがもどってくるまでの三十八日間、カエサルは、殺される恐怖を感ずることなく過ごしたのである。

　それも、おずおずするどころか、高慢に振舞った。彼が眠りたいと思っているときに海賊たちが騒いでいたりすると、従者をやって、静かにするように、と命じさえした。それでいて、海賊たちの武術訓練や娯楽には参加した。年頃からしても面白かったろうし、肉体は鍛えておくにこしたことはない。また、海賊たちを、書きためた詩や演説の聴き役にも使った。彼らの誰かが脇(わき)を向いていたりすると、知性に欠ける野蛮人だと言って叱(しか)ったりもした。そのようなときのカエサルは、海賊に囲まれた人質にはとても見えず、ボディ・ガードに囲まれた重要人物でもあるかのようだった。しばしば、この人質は海賊たちに向って、いずれは縛り首にしてやる、と言って脅した。しかし海賊たちは、そのようなことを言われても、若者の冗談と受けとって笑い合うだけだった。五十タレントを、思い出してもいたのだろう。

身代金をもった従者がもどってきて、カエサルは自由の身になった。海賊たちから解放されたとたんに彼は、近くの町ミレトスに急行し、船を借り、人を集め、それを率いて海賊征伐に出発する。ミレトスの近くの入江に停泊中の海賊船を急襲し、全員を捕虜にすることに成功した。海賊たちの財宝も分捕ったから、五十タレント分はもちろんお返し願ったのにちがいない。

以前とは立場が逆転して捕囚になってしまった海賊たちを、カエサルは、まず牢(ろう)に入れておき、小アジア属州総督に報告に行った。だが、総督の注意は、カエサルが没収した海賊の財宝のほうに向けられていて、海賊たちの処置は、勝利者の権利ということでカエサルに一任される。もどってきたカエサルは彼らを牢から引き出し、全員を絞首刑に処した。海賊たちは、冗談と思っていたのが冗談でなかったことを知らされたのであった。その後、何ごともなかったかのようにロードス島に到着したカエサルは、知性を深める学生生活をはじめたのである。

留学

気候のおだやかな地中海世界の中でも、ロードス島のそれは、一、二を競うのではないかと思う。冬も厳しくなく、夏の盛りでも摂氏二十五度を越えることはまれだ。終日吹き通う微風が、寒さも暑さもやわらげてくれる。薔薇の花咲く島という意味でロードスと名づけられたこの島は、気候に恵まれていただけでなく地勢にも恵まれていた。島の北端には天然の良港があり、島の住民はこれに手を加え、二つの港にして活用していた。エフェソスやミレトスやハリカルナッソスに代表される通商で栄えた小アジア西岸の町々と近く、エーゲ海の島伝いにはアテネに達し、西にクレタ、東にキプロスと、これまた古代では重要な地位を占める二島を控え、しかも東はシリアにパレスティーナ、南にはエジプトにつづく航路上に位置するのである。富の蓄積が進み各地の情報が交流し、そしてこれらの成果の一つでもある学芸の振興が盛んになったのも当然だった。ロードス島の最盛期は、アレクサンダー大王によって撃ち破られたペルシアが、東地中海域から撤退したヘレニズム時代であったろう。

しかし、ローマが地中海の覇者になっても、ロードス島の力は健在だった。通商立国ゆえにいち早くローマの安全保障下に入ることの利点を察知したロードスは、海軍力を提供するという形でローマ軍の一翼をになう役をつづける。ローマにとっては、不得手の海軍を提供してくれる国という以上に、信頼できる同盟者がロードスだった。いかに高名な教授をかかえた最高学府があろうと、信頼もできず安全でもない国に、自国の指導者予備軍を勉学に行かせるはずもないのである。

ローマの忠実な同盟国ロードスには、紀元前一世紀の当時、ストア学派の哲学者アポロニウスと、中世に消滅してしまって現在は残っていないが、当時では多くの歴史家に影響を与えた地中海全史を書いたというポシドニウスが、名物教授という感じで君臨していた。アテネを留学先に選んだキケロも、そして後にカエサルの暗殺者になるブルータスも、アテネに次いでロードス島にも留学している。しかし、カエサルには、この二人とはちがって、学問にのめり込む性向はなかった。何ごとによらず、愛しはしてものめり込む男ではなかったのである。

それでも留学は、ときに中絶されながらも一年はつづいた。著作の断片しか遺ってい ないため、アポロニウスもポシドニウスも業績を判断することは不可能だが、残る断片から想像して、従順な思考の秀才には感銘を与えられても、独創性豊かな人物にまで影響を及ぼすことのできる学者ではなかったように思われる。とはいえ、カエサルには、ほとぼりを冷ますという目的があった。

二十代半ばのカエサルのロードス島滞在は、温暖な気候と美しい自然を満喫し、リンドスの岬の上にそびえる神殿への遠出も愉しみ、港に停泊中のロードス自慢の軍船団を見学し、島の芸術家たちの手になる見事な彫刻の数々を賞でることのほうが、優先する日々であったかもしれない。現在ヴァティカン美術館の至宝の一つとされている「ラオコーンの群像」も、この時代のロードス人が人類に遺した傑作なのである。

このロードス滞在も時に中絶されたのは、小舟でも数時間で達せる小アジアでことが起きるたびに、私兵を組織したカエサルがおっとり刀で馳せ参じたからである。スッラによって押さえつけられたポントスの王ミトリダテスが、スッラも死んで三年、しかもローマがスペインでのセルトリウス蜂起(ほうき)に手を焼いているのを機に活動を再開し、おかげで小アジア一帯は再び不穏な空気につつまれはじめたからであった。

とはいえ、当時のカエサルには公的な立場はない。それで、いっとき暴れた後は、ロードス島にもどるしかなかった。それが、紀元前七四年になるや、ロードス島にもどることも必要でなくなったのである。母方の伯父のアウレリウス・コッタが、ビティニア地方の属州総督として赴任してきたからであった。

十九歳当時のカエサルが使節として出向いたこともあるビティニア王国の王ニコメデスは、自分の死後のビティニアをローマに託して死んだ。ローマは、黒海とエーゲ海をつなぐボスフォロス海峡という、戦略要地を治下におくビティニアの属州化を決める。その総督として派遣されてきたのが、紀元前七五年の執政官を務めたアウレリウス・コッタであったのだ。もちろん、伯父の着任を知るやカエサルは、ロードス島を引き払うと決める。奴隷の端まで入れると十人にはなったという陽気で怖れを知らない若者の一団は、後ろ髪を引かれることもなく〝大学〟を捨て、ビティニアに向けて小アジア西岸を北に向ったのだった。

属州化直後の地方の統治は、それ自体ですでに困難な任務である。王政時代の統治のやり方を、他国人である属州総督の下で再編成しなくてはならない。王政時代をなつかしむ人々を不満分子に追いやらないために、王政時代のものでも残せるものは可能なかぎり残すのがローマのやり方だった。とくに人々が敏感な税制は、王政時代よりも減税するという政治上の必要性と、属州統治に要する分は確保するという経済上の必要性を秤にかけ、妥当とする線で新税制を決める役目が、初めての総督には課されていたのである。

アウレリウス・コッタは、紀元前七五年の執政官時代、穏健にではあってもスッラの保守体制の見直しを実行したことで、政治改革のエキスパートという評判が高かった。属州化直後の国の統治体系再編成には、最適任者と思われての派遣であったのだ。だが、コッタの不幸は、政治に専念する前に、軍事に力を注がなくてはならなくなったことだった。ビティニアの東側に位置するポントスの王ミトリダテスが、ローマの属州となった直後のビティニアに侵入してきたからである。ミトリダテスの側からすれば、大敵が隣りに越してきた想いだったろう。

法学者としての名声も政治家としての実績も、戦場では別物であるらしい。たちまちポントス軍に押され、自分が総督のはずのビティニアから逃げ出す始末。それだけでは終わらず、逃げこんだ先で病死してしまった。この緒戦の敗北で対ミトリダテス対策を真剣に考えざるをえなくなったローマからは、スッラ派の重鎮ルクルスが、執政官の任期終了も待たずに派遣されると決まる。総司令官との縁故で幕僚に連なっていたにすぎないカエサルは、またも居場所を失うことになった。だが、ロードス島にもどらねばならなかったはずの状態が、急遽(きゅうきょ)変わる。首都ローマからの急ぎの知らせがとどいたからだ。アウレリウス・コッタが死んで空席になった神祇官の地位に、カエサルが任命されたという知らせだった。

帰国

ローマの祭司階級のヒエラルキーは、最高神祇官(ポンテイフクス・マクシムス)——神祇官(ポンテイフクス)——祭司(フラーメン)——占師(アラグル)の順になる。女祭司(ヴエスターレ)は別あつかいだ。カエサルは、十三歳の年に祭司に任命されていた。「リキニウス法」以来、平民出身者にも政と官と軍事に宗教界でも機会は平等に与えてきたローマだったが、父祖代々元老院に議席をもち、そのうえ名門貴族の出となれば、スタート地点での有利はやはりある。とくに、元老院階級の強化を終極の目的とした「スッラの改革」からは、元老院議員の子弟への優先は、はっきりした傾向になっていた。伯父の死によって生じた空席を甥(おい)で埋めたにすぎないこの一事も、それが抵抗なく受け入れられたのも右の事情による。こうして、二十七歳のカエサルは、神祇官になった。といって、宗教的に振舞わなければならなくなったというわけではない。第Ⅰ巻でも述べたように、独立した祭司階級を置かなかったローマでは、祭儀をとり行う役を務める人というだけで、それ以外は市民と同じだった。この時期の最高神祇官であったメテルス・ピウスは、ポンペイウスと共同して、スペインの地でセルトリウス戦役を指揮していた。

それでも、二十七歳のカエサルにとっての神祇官就任は、祭司階級内での昇進の他に、別の意味をもっていた。ほとぼりが冷めたこと、も意味したのである。三年ぶりに帰国を果したカエサルは、純白のトーガに身を包んで、市民集会開会中のフォロ・ロマーノの演壇に立った。純白を意味するカンディドという言葉は、今日でも西欧では、立候補を意味する言葉の語源になっている。

立候補したといっても、二十七歳では、三十歳からのスタートが普通のローマでは、官職への立候補ではない。軍団内では高級将校に該当する、大隊長(トリブーヌス)に立候補したのである。六人の百人隊長を部下にもつので、六百の兵からなる大隊(コホルス)を指揮する立場だ。一個軍団には、十人の大隊長がいた。

カエサルは、これに当選する。当選したことによって、以後は縁故関係を頼んで幕僚の端に加えてもらう必要もなくなった。誰が総指揮をとる軍団に志願しようと、これからは大隊長(トリブーヌス)の地位を与えられることが確実になったのである。

しかし、地位は得たとはいえ、神祇官ならば十五人の一人、戦略単位と考えられた二個軍団では二十人の一人である。注目を浴びる昇進ではまったくなかった。二十七歳になっても、ユリウス・カエサルの昇進の速度はこの程度であったのだ。

世間どころか支配階級内でも一頭地を抜く存在ではなかったことは、これと同じ年に勃発(ぼっぱつ)した「スパルタクスの乱」に、大隊長の資格を獲得したばかりのカエサルが、まったく参戦していない一事でも明らかだろう。トラキア生まれの奴隷で剣闘士のスパルタクスの指揮で起こった大規模な奴隷と農奴の反乱は、執政官自ら指揮するローマの正規軍団を破ったことで勢いをつけ、首都ローマさえも恐怖におびえさせる一大事に変わっていた。紀元前七三年に勃発した「スパルタクスの乱」は、こうして、前七二年にもちこすことになる。

そのうえ、スッラ門下の俊英ポンペイウスを、異例の人事まで強行して送り出したにもかかわらず、セルトリウスのしぶといゲリラ作戦が効を奏してか、スペインでの戦役はまだ終わっていない。ポンペイウスも軍団も、そのスペインに釘(くぎ)づけである。

また、軍事行動を再開していたポントス王ミトリダテスに対しては、これまたスッラ門下の第一人者ルクルスが派遣されている。おひざもとのイタリア内で起こったスパルタクスの乱に対するに、ローマは人材を欠いていた。やむをえず元老院は、スッラ派ではあったが軍事的才能ではさして重視されていなかった、法務官(プラエトル)クラッススに全権を委任する。八個軍団という大軍を率いて、クラッススはスパルタクス鎮圧に向った。

八個軍団ならば、大隊長の数は八十人である。しかも、総指揮をまかされた四十二歳のクラッススは、ローマ一と言われた大金持で、この時期から活発化するカエサルの借金の、債権者としても一番であったのだ。ポンペイウスに猛烈な対抗意識を燃やしていたクラッススには、このスパルタクス鎮圧は、いかなる手段に訴えようと絶対に成功させねばならない勝負でもあった。

それでいながら、カエサルは、二十八歳から二十九歳にかけてという時期を、前線には出ることなく首都に留まっている。晩年になるまで、健康には問題のなかった彼のことだ。八十人の一人としても、呼び出しがなかったと考えるしかない。

紀元前七一年になってようやく、ローマの市民たちは再び安心して日々を送ることができるようになった。「スパルタクスの乱」は、アッピア街道にそって立ち並ぶ反乱奴隷六千人の十字架処刑で終わった。スペインでの「セルトリウス戦役」も、七年を費やした後にしろついに終結し、総司令官のメテルス・ピウスとポンペイウスの二人も、イタリアに凱旋を果す。オリエントでは、ルクルスが派遣されてからははっきりと、ローマ側が攻勢に転じていた。ローマ市民の関心は、これらの心配事が解決してからはもっぱら、時の人ポンペイウスとクラッスス二人の勢力争いに集まっていたのである。

ポンペイウスとクラッスス

スペインから凱旋した当時のポンペイウスの年齢は、三十五歳。一方、スパルタクスの乱を収め、はじめての軍事上の成功に気を強くしているクラッススは、その年四十三歳。二人ともスッラ門下の俊英と見られていたが、仲は悪かった。ポンペイウスは、クラッススの手段を選ばない蓄財を軽蔑していたし、クラッススは、若くしてすでに一家をなした観のある、ポンペイウスの名声を嫉妬していたからである。マリウスとキンナに代表された「民衆派」を降して十二年、スッラ派、つまり「元老院派」の天下がつづいている。仲間割れも許される状態にあった。しかし、スッラ派内部でのこの勢力争いは、スッラが苦労して再建した、元老院主導によるローマの共和政体崩壊の方向にローマを導くことになる。

スペインから帰任したポンペイウスは、元老院に対し、翌・紀元前七〇年度の執政官選挙への立候補を認めるよう求めた。執政官の選出は、ローマ市民権をもつ者ならば誰にも投票権があった市民集会の選挙で決まったが、それに立候補を認めるか否(いな)かは、元老院の権限とされていた。

元老院の大勢は、はじめのうちは、ポンペイウスの要求を認めないことで一致していた。認めては、「スッラの改革」に違反したからである。第Ⅲ巻で詳述したことだが、独裁制を布(し)いてまでスッラが強行した改革の骨子は、元老院主導という形での少数指導制に立ったローマ共和政の機能の回復にある。それには、元老院議員にはなるべく均等に、指導する機会が与えられねばならない。実力主義による特例を認めていたのでは、この種のシステムは機能しなくなる。それゆえスッラは、政治キャリアの各段階も、厳密な年功序列制に改めていた。

三十歳で会計検査官(クワエストル)立候補の資格を獲得し、選出されて一年の任期を終えた三十一歳で、元老院の議席を得る。その後元老院議員八年の経験を経て、三十九歳で法務官(プラエトル)

に立候補する資格を得る。同時に、戦略単位である二個軍団一万五千以上の兵を指揮する「絶対指揮権（インペリウム）」も得る。そして、任期一年の法務官を終えればほぼ自動的に配属される、十の属州中のいずれかの属州総督として、属州政治と属州防衛を一、二年経験し、つまりこの「絶対指揮権（インペリウム）」経験二年を経てはじめて、四十二歳で、ローマ最高の官職である執政官に立候補する資格を得ることができるのである。元老院議員の定員も倍増して六百人にしたのだから、個々の才能実力を考慮して選抜するにしても、このルーティンでローマの統治能力は確保できると、スッラは考えたのであった。

ポンペイウス

ポンペイウスの生まれた月は九月。執政官の任期は、一月一日からはじまる一年間である。ということは、紀元前七〇年の三分の二もの日々、ローマは三十五歳の執政官をもつことになる。満年齢で数える習慣はあまりなかったから三十六歳としても、明らかな法律違反であった。しかも、二十二歳でスッラの許（もと）に馳せ参じた後もずっと軍務に就き、二十五歳で凱旋式まで挙げたほど異例の待遇を受けつづけてきたポンペイウスには、会計検査官（クワエストル）の経験もない。数々の戦功に輝いてきた彼には、政界進出のスタートにあたる会計検査官をわざわざ経験する必要もなかったからだが、おかげで三十五歳になっていながら、元老院議員ですらなかった。スペイン戦線には、法務官（プラエトル）も経験していない彼に前法務官（プロプラエトル）の格を与えて送り出したが、そうでもしないと、二個軍団以上の軍隊を指揮するに必要な、「絶対指揮権（インペリウム）」を与えることができなかったからである。六百人も元老院議員がいながら、その中の誰一人として、当時は三十二歳でしかなかったポンペイウスに、軍事的才能で秀（ひい）でる者がいなかったということになる。この元老院の特別待遇に見事に応（こた）えて帰任したポンペイウスが、もう一つの特例になる、資格年齢に達してもいず、ゆえに元老院議員でもない彼自身の執政官立候補を認めよと求めたのだ。それも、率いる軍団も解散せず、軍事力による無言の圧力をかけながら、であった。

任務が終われば解散しなければならないと、これまでスッラによって法律化されていた決定を守らなかったのは、クラッススも同様だった。彼も、執政官就任を狙（ねら）っていた。クラッススのほうには、資格上の問題はなかった。会計検査官（クワエストル）を務めたかどうかは不明だが、法務官（プラエトル）は務めている。「スパルタクスの乱」の鎮圧を一任されたときも、「絶対指揮権(インペリウム)」を与えるのに問題のないキャリアと年齢に達していた。元老院議員でもあるから、執政官立候補者は元老院議員であらねばならないという、紀元前五〇九年のローマ共和政創立時からの法にも違反しない。ただし、このクラッススにも問題はあった。人望がないことである。あまりにもあこぎな金もうけ主義が、ローマ一の資力をもちながら、クラッススに人望が集まらない理由だった。反対にポンペイウスのほうは、若き凱旋将軍ということで、市民たちの人気は絶大だ。だが、元老院はまだ、その彼の要求に良い答えを与えようとはしなかった。

仲の悪かったこの二人が、この機にいたって手を結ぶことになる。クラッススが元老院に手をまわしてポンペイウスの立候補を認めさせる代わりに、ポンペイウスは自分の支持者たちの票を、クラッススにまわすという秘密協定が成り立ったからだった。こうして、紀元前七一年の初冬、翌・前七〇年担当の二人の執政官が決まった。元老院の意向に関係ないところで決まったという点で、前七五年の執政官アウレリウス・コッタの頃から明らかになりつつあった「スッラ体制」崩壊が、もはや決定的になったことを示す一事でもある。しかし、このようなことは考えない一般庶民は、仲の悪かったことでは有名だった二人が手を結んだこの年の選挙を、面白がっただけであった。

この年か、それとも翌年の紀元前六九年かに、カエサルは会計検査官(クワエストル)に当選している。軍団での兵役や行政事務職は有給でも、会計検査官からはじまり執政官にいたる国家の要職は、ローマでは無給と決まっている。無報酬で公職に身を捧(ささ)げる人生というわけで、これをローマでは、「クルスス・ホノルム」と言った。意訳すれば、「名誉あるキャリア」というわけだ。われらがカエサルも、三十一歳になってようやく、「名誉あるキャリア」のスタート・ラインに立ったことになる。

だが、会計検査官(クワエストル)は、毎年二十人選出されるのである。今度も、二十人の一人、であった。しかも、首都での勤務でもなければ、戦争中の軍団に従っての勤務でもない。選出の翌年一年間のカエサルの勤務地は、「遠スペイン(ヒスパニア・ウルテリオル)」と呼ばれたイベリア半島の南部である。上司になるこの地方統治の属州総督も、たいして名を知られた人物ではない。ポンペイウスによって鎮圧された「セルトリウス戦役」後の、問題の少ない地方に派遣されたのであった。

とはいえ、三十歳当時のカエサルが、まったくの無名であったとするわけにもいかないのである。三十歳にしてカエサルは、なかなかの有名人だった。いかに二十人の一人にしろ軍団の大隊長職(トリブーヌス)にも選出され会計検査官にも選出されていたのだから、

「名誉あるキャリア」を目指す名門出の若者ならばたいした苦労もせずに得られる支持はあったろう。だが、三十歳の彼を有名にしたのは、そのようなことではない。若きダンディを地で行く派手な生活ぶりと、その結果である莫大(ばくだい)な額の借金によってであったのだった。

第四章　青年後期　Juventus（ユヴェントゥス）

紀元前六九年～前六一年〈カエサル三十一歳―三十九歳〉

スタート・ライン

一説によれば、会計検査官（クワエストル）就任までにカエサルが積み重ねた借金の総額は、一千三百タレントにものぼったという。十一万以上の数の兵士を、一年間まるまる傭（やと）える金額である。ルクルス並みの最豪華で最グルメの招宴を、百五十回張れる値にもなる。これなら、海賊に身代金五十タレントを張りこんだのも、気持のうえではたいした負担はなかったかもしれない。

それにしても、何に費やしたのか。政界キャリアをはじめる以前の借金なのだから、選挙運動費でもなければ、人気取りを狙（ねら）った、剣闘士試合の主催費でも街道の修理費でもない。カエサル家の経済状態がつましいものだったので他人から借りたのだが、諸々の史料からうかがえる費消先は、次の三つに大別できるようである。

第一は、自分自身のため。

カエサルの読書量は、当時の知識人ナンバー・ワンと衆目一致していたキケロでも認めるところであった。当時の書物は、高価なパピルス紙に筆写した巻物である。当然だが、高くついた。また、読書の趣味は、経済的に余裕ができたからはじめる、というものではない。

そのうえ、若きカエサルは、お洒落(しゃ)れの面でも有名だった。白い布地を巻きつけるだけのトーガでは凝りようもないではないかと思うのは、お洒落れの何たるかを知らない人の言うことである。白い毛織物の布地の厚さ薄さによって、トーガでは最も重要なひだの流れようが変わってくる。しかも、布地は、薄地になるほど高価にもなる。

元老院議員の服装

そして、公式の服装である長衣(トーガ)を脱げばいつでもどこでも着用していた短衣(トゥニカ)も、短い袖(そで)とひざ上までの丈の簡素きわまるスタイルだが、形が決まっているだけに凝りようはいくらでもあった。まず、腰で締めるベルトがある。そのベルトの締め金がある。また、短衣（トゥニカ）の袖のふち取りを洒落れることもできた。そして、短衣姿で外出するのは成人前の少年か一般庶民か奴隷（どれい）に限られていたので、ひとかどの大人であればマントをはおる。それで、マントを右か左の肩で留めるブローチも、洒落者ならば凝る装身具になる。そのうえ短衣は白が普通だから、上にはおるマントは色物であった方が映える。それなのに、染色は高くついた。最も高価であったのは紫色で、その染料のとれる貝を一万五千も使わないとマント一枚分を染めることはできなかったのである。おかげで、赤紫としたほうが適当かと思う紫色のマントは、凱旋（がいせん）将軍にのみ許される、そして帝政になってからは皇帝の色とされるほどの貴重な色になった。

紫の次に高価についたのは、紅（くれない）であったようである。ためにこの色は、元老院議員のトーガのふち取りに使われ、また、短衣の上に胸甲を着け、その上に大きくはおる総司令官用のマントにのみ、使用が許されたほどだった。ちなみに、ハリウッド製の歴史映画に出てくるローマ兵たちは、一兵卒にいたるまで赤いマントを着けているが、あれは色彩上の効果を狙ってのことにすぎない。安価ですむのは、糸を自然色のままで織った布地だった。そして、共和政時代のローマでは、絹はまだ知られていなかった。

男の服装ならば、短衣（トゥニカ）、長衣（トーガ）、軍装ぐらいしか分類できないローマ時代でも、このようなわけで洒落れようと思えば多くのことでお洒落れも可能であったのだ。当然の帰結ながら、凝れば凝るほどお金はかかったのである。

カエサルのおおらかな借金の第二の理由は、史家たちによれば、彼の友人づきあいのおおらかさにあったとなる。友人たちに加え、名門ならば必ずいた「クリエンテス」たちとの交際も、それにプラスしたことだろう。家代々の「クリエンテス」たちは、名門ゆえに「パトローネス」でもあるカエサルにとっては後援会のようなものであり、このつながりを大切にするのは名門に生まれた家長の責務であると同時に、政界進出にも欠かせない要件であったからである。

莫大(ばくだい)な額になった借金の第三の原因は、愛人たちへのプレゼント代であった。この面でも彼のおおらかさは有名で、自ら選んだ高価な品を女たちに贈るので評判だった。

名家出身でも金持ではなく、輝かしいキャリアなど薬にしたくもなかったのが当時のカエサルだが、また、女性的と思われるほど整った顔立ちを美男とした古代では特別な美男子でもなかったが、すらりと背は高く均整のとれた肉体と、生き生きした黒い眼と、立居振舞いの争えない品位は、彼を、同年輩の若者たちに混じっていてもひときわ目立つ存在にしただろう。それに加えて、アイロニーとユーモアをふくんでの彼の会話も愉(たの)しかった。高価な物など贈らなくても、女たちにモテたろう。しかし、

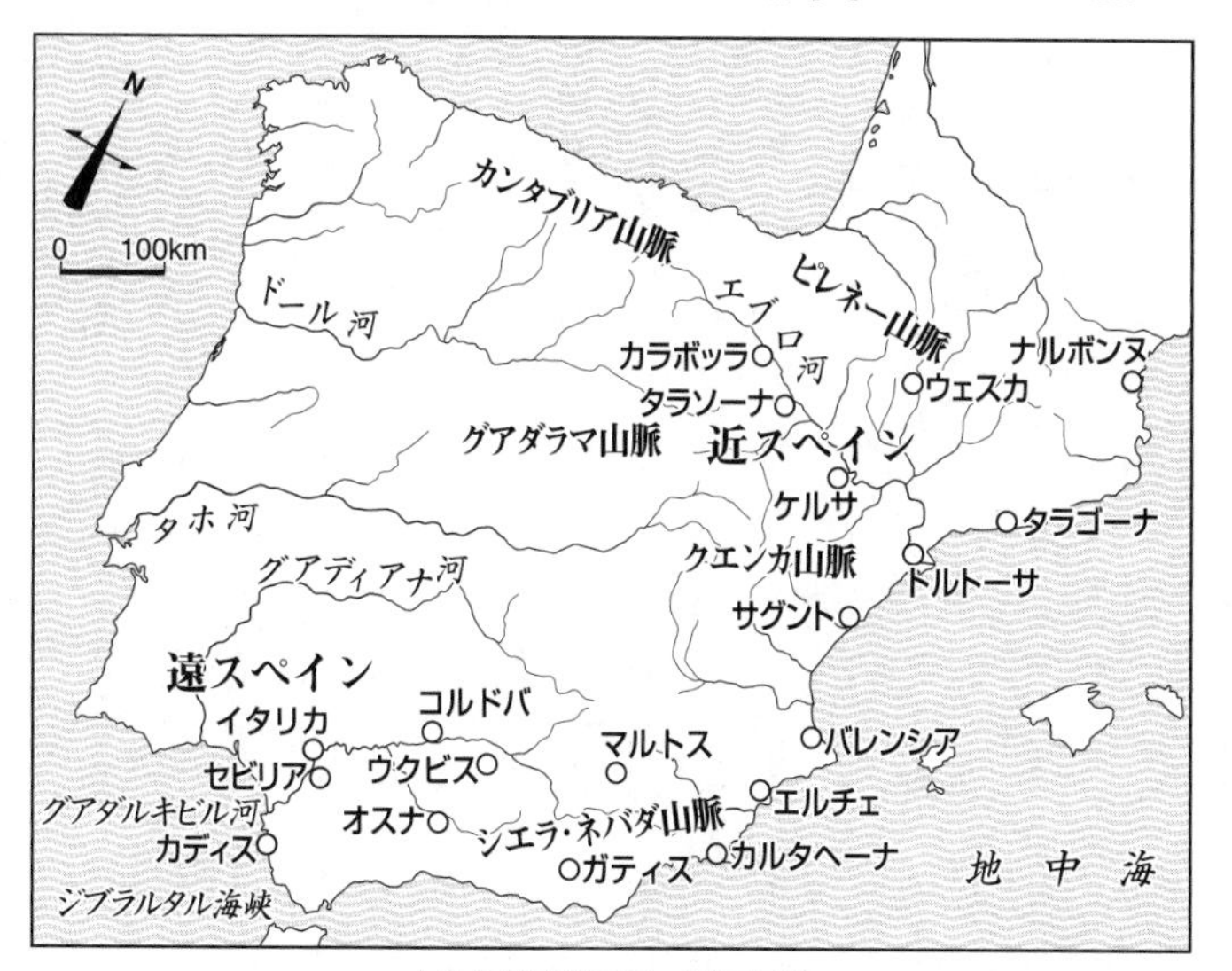

カエサル時代のイベリア半島

贈物をもらえば、女は嬉しく思う。カエサルは、モテるために贈物をしたのでなく、喜んでもらいたいがために贈ったのではないか。女とは、モテたいがために贈物をする男と、喜んでもらいたい一念で贈物をする男のちがいを、敏感に察するものである。

いずれにしても、種々の理由による莫大な額の借金をそのままにしてのスペイン赴任だったが、問題の少ない属州が任地だったために、一年間の任期は可もなく不可もなしで終わった。ただし、属州統治の経済面を担当する会計検査官という役目上、任地である南部スペインの各地は旅してまわったようである。そのうちの一つ、古代では「ヘラクレスの二本の柱」と呼ばれていた現ジブラルタル海峡に近いガデス（現カディス）に立ち寄ったときの話として、史家たちは次のエピソードを伝えている。

カルタゴがスペインを支配していた時代から栄えていた商港ガデスには、半神ヘラクレスに捧げられた神殿があった。〝出張〟の途次そこに参ったカエサルは、ヘラクレス神よりも、神殿内に安置されていたアレクサンダー大王の像のほうにより強い印象をもつ。そして、その像の前で独り言を言った。

「アレクサンドロスが世界を制覇した齢になったのに、自分は何ひとつやっていないではないか」

カエサルも、自己反省したのである。身近な人や「クリエンテス」たちからすれば、自己反省ぐらいやってもらいたい心境であったろう。彼らにすれば、アレクサンダー大王までは比較の対象にしなくてもよいが、同じローマの同時代人たち、ポンペイウスやキケロの活躍ぶりを見れば、少しは気を引きしめてもらいたい、くらいの想いはあったにちがいない。カエサルよりは六歳年上のポンペイウスはすでに執政官を経験し、凱旋式は二度も挙行している。同じく六歳年上のキケロも三年前、フォロ・ロマ

護民官（左）と平民の服装

ーノを沸かせたヴェレス裁判で勝訴し、ホルテンシウスに代わってローマ一の弁護士の名声を獲得した。

共和政末期のローマ史を彩る主人公たちの顔ぶれは、ほぼ出そろった観がある。ただ一人、カエサルを除いて。

しかし、自己反省はしたものの、任期終了と同時に帰国したカエサルの生き方は、表向きには以前と少しも変わらなかった。あいかわらず派手に借金し、それをおおらかに費消し、おかげでプレイボーイの名声だけは高まったが、反省したり奮起したりした様子は少しも見られなかった。変わったことといえば、会計検査官を務めあげた後は自動的に元老院に議席を与えるという「スッラの改革」により、元老院入りを果したことだった。白だけであったトーガに、紅色のふち取りをつけることが許される身分になったのだ。お洒落な彼のことである。紅色のふち取りの重なりようなども、おおいに研究したに違いない。

しかし、表面的には何ら変わりはないように見えるカエサルの生き方も、よく注意してたどれば、一本の糸がすっきりと通っているのがわかる。青年後期に入ってからの彼の言行は、その一本の糸が、以前に比べればもう少しはっきり見えてくるように変わる。そのはじまりが、伯母ユリアの葬式だった。

宣告

ローマ人は、家族を大切にする。それに、多神教の民族だ。この二つの流れが出合うとき、ごく自然に祖先を敬う気持が生まれる。ローマ社会では、結婚式よりも葬式のほうが重要視された。とくに、国家の要職、つまり「名誉あるキャリア（クルスス・ホノルム）」の経験者の葬式は、国葬でなくても葬列は家から都心までの道をたどり、フォロ・ロマーノかマルス広場で、近親者代表が遺体を前にして故人を讃える追悼演説を行うのが慣例になっている。親族だけでなく、行きずりの庶民も、それに耳を傾けることで死者を弔う儀式に参加するのである。この慣例は、要人のみでなく、要人の妻や子の場合にも適用された。

スペインから帰任したカエサルが追悼の演説を行ったのは、亡くなった伯母の遺体を前にしてである。父の姉にあたる人で、平民の英雄であったマリウスの未亡人だった。弔辞は普通、故人とは最も近い肉親がすることになっているが、マリウスの息子は、スッラとの内戦時に捕われ殺されている。他に息子はなかったから、甥のカエサルがしたのだった。

このときのカエサルの演説は、古代の史家たちの伝える要旨でしか知られていないが、三十二歳のカエサルは、実に大胆なことを言ったのだ。伯母ユリアは、母方の家系をたどれば王家につながり、父方をたどれば不死の神々につながる、と言ったのである。つまり、伯母の生家であり自分の生家であるユリウス一門は、たどっていけば美神ヴィーナスにも達する、というわけだった。トロイ落城のときに逃げた、ヴィーナスの息子アエネアスに率いられた落人たちがイタリアにたどり着き、それらの人がローマ人の祖先になったと信じられていたので、ローマとその周辺地域の出身者は、全員がトロイの落人の子孫と言えるわけだが、ユリウス一門は、ローマの母胎といわれたアルバロンガの名門貴族である。女神ヴェヌスの血を引くと言われても、ローマ人も神々には親近感を強くもっていた古代人である。荒唐無稽と笑いはしなかった。ゆえに、伯母ユリアの葬式に際してカエサルが行った大胆な行為とは、右のことではなく、別のことであったのだ。

祖先や家族を大切に思うローマ人の葬式には、故人の遺体だけでなく、故人には祖先や家族にあたる人を模した蠟造りの仮面や彫像も葬列に参加する。カエサルは、伯母ユリアの葬列に、伯母の夫であったマリウスの像も参加させたのだ。平民の英雄マリウスも、スッラによって国賊とされ、それはまだ解除されていない。いかに故人ではあっても、国家の敵となっている人の像を遺体のすぐそばに立てたのは、大胆きわまる行為だった。スッラは死んでも、ローマはスッラ派の天下であることでは変りはなかったからである。

しかし、死後十八年ぶりにかつての自分たちの英雄の像を眼にした、ローマの庶民たちの胸は熱くなった。スッラが独裁制を布いてからの十四年間、マリウスの名は禁句でありつづけてきたのである。ただし、このマリウスの甥であるカエサルは、演説の中では伯父についてでは一言もふれていない。それは危険すぎた。しかし、マリウスの像は、人々の眼にさらしたのだ。これは、スッラによって壊滅状態に落とされた「民衆派」を再建するという、暗に、ではあっても宣告であった。

同じ時期に、妻のコルネリアを亡くしている。カエサルは妻の葬式も、ローマ名門の家の女にふさわしい格式で出したが、その際の彼の追悼演説では、舅であったキンナにはふれていない。キンナの像も参列させていない。生前のキンナも「民衆派」の重鎮だったが、マリウスのほうは象徴であったからである。

とはいえ、この「民衆派」再建宣言にもとられるカエサルの行為に、スッラ派が牛耳る元老院は何一つ反応していない。ローマのお偉方たちが、元老院に議席を得たばかりの若いダンディを問題視していなかったからである。借金と洒落れぶりと女たらしでのみ有名な、そして、頭を搔くときも気取って一本の指で搔くような三十二歳を重視しなかったのは、マリウスの像を見て眼がうるんだ民衆とて同様だった。なにしろ、天下はスッラ派のものであり、スッラ門下の俊英と自他ともに許すポンペイウスは、その輝かしい戦功に加え、政界でも出世街道を驀進中で、元老院の期待を一身に負っていただけでなく、庶民の憧れの的にもなっていたからである。そして、このポンペイウスが、社会の各階層を超越した国民的英雄になる機会が、この一年後に訪れる。ローマに限らず全地中海世界の人々の眼が、いまだ三十九歳でしかないポンペイウスに集中することになる、海賊一掃作戦がそれであった。

ポンペイウスの台頭

大国になった後でも自国民だけですべてをやろうとせず、他の民族に優れたところがあればその面は彼らにまかせるのはローマ人の性向の一つだったが、それが海の上のこととなると、まかせられたのはギリシア民族である。地中海世界の海洋民族にはフェニキア人もいたが、カルタゴが滅亡して後のフェニキア民族は、シリアからエジプトまでの海域を行き来する、ローカルな規模の船乗りになっていた。地中海全域を縦横に往来していたのは、あいもかわらずギリシア民族であったのだ。

船乗りならば、必要とあればいつでも寄港できる、基地の大切さを知っている。紀元前八世紀の昔から、ギリシア人の植民運動は盛んで、その成果であるギリシア系の海港都市は全地中海に散在し、本国のギリシアの力が衰えた後でも、その後ローマの覇権下に入った後でも、通商と航海の面での彼らの活躍はいっこうに衰えなかった。ギリシア民族とは、国破れて山河あり、の山河を人間になおせば通用する典型である。これより少し後にはインド洋にまで進出し、モンスーン現象を発見したのもギリシアの船乗りだった。

しかし、「国破れて」の影響はやはりある。それは、港から出て海上航行に入って以後の安全保障まで考えてくれる力を、彼らの属す共同体はもはやもっていないということである。嵐が敵ならば自信はあったが、海賊が敵では、航海術で対抗しても限界はあった。

また、地中海は大洋とはちがう。狭いだけでなく、風の向きが始終変わる。ここでは、航行技能のいかんにかかわらず地勢上の理由から、沿岸航海になるのもやむをえない選択なのであった。

だが、陸地により近く航行すれば、その辺りを根城にする海賊に気づかれる危険も増してくる。船自体の造りにはたいした変わりはない以上、普通の船と快速船の速度の差は、船全体の重量に比例した。近くの島影から突然あらわれて襲う海賊船は、速度の面からみれば、不必要なものは何ひとつ乗せないレース用のヨットに似ている。航行術を誇るギリシアの船乗りでも、かなわないのは当然だった。

そして、覇権下にある諸民族の安全を保障するのは、覇権国家の責務でもある。もともとが農牧民族で、海上で嵐に出遭おうものなら蒼くなるローマ人が、海賊退治を担当せざるをえなくなったのも、地中海が彼らの覇権下に入ってしまったからであった。

それでローマも、海賊の横行が目立つようになった十五年前から、海賊の本拠地であるキリキア地方に征伐軍を派遣したのだが、成果はいっこうにあがらない。そのうちに海賊船は、イタリアの近海にまで出没し、わがもの顔に蛮行をくりひろげるまでになった。とくに、ローマに対抗意識を燃やすポントスの王ミトリダテスの後援を受けるようになってからは、彼らの装備も一段と充実し、冬期の航行さえも可能になる。ローマも、属州に兵や武器を送るどころではなくなった。地中海の物資の流通もとどこおり、ローマに輸入される主食の小麦の量さえ保証できなくなったのである。もはや海賊対策は、ローマ自身の問題になっていた。

紀元前六七年、その年の護民官ガビニウスは、市民集会に海賊一掃作戦を提案した。おそらく、ポンペイウスが練った構想と思うが、単なる提案ではなく、大局から細部まで眼のゆきとどいた構想案である。それだけに、具体案を示されれば判断もくだしやすい一般市民にとっても、説得力があった。護民官ガビニウスの提案になる海賊一掃作戦の規模は、次のとおりである。

一、十二万の重装歩兵と五千の騎兵からなる二十個軍団を、この作戦のみに投入する。

二、軍船五百隻(せき)の投入。

三、総司令官の下には、彼が任命権をもつ元老院議員十四人からなる幕僚が配属される。

四、総司令官の作戦実施区域としては、海上にかぎらず、海岸より八十キロ入った内陸部にまでおよぶこととする。

五、この作戦に要する資金として、一億四千四百万セステルティウスの支出を決定する。

六、総司令官には、ポンペイウスを選出する。

七、総司令官には、この作戦完了までの期間として三年を与え、その間、彼は、これらすべてのことに対しての「絶対指揮権(インペリウム)」を持ちつづける。

大権の一人物への集中は、寡頭政(かとう)を採用する共和国にとっては、何よりも警戒しなければならないことである。ポンペイウスは自分たちの側と信じていた元老院にとってさえ、そのポンペイウスに与えようとしている権力があまりにも強大すぎるのに不安を感じはじめていた。元老院の大勢は、反対に傾きつつあった。だが、少数でも、元老院議員の中で賛成にまわった者がいた。ヴェレス裁判の勝訴以来、ローマの世論に影響力を強めていた三十九歳のキケロ、そして、三十三歳のカエサルである。

結局、害がわが身におよびはじめたのに強い危機感をいだいた世論に押しきられる感じで、元老院の反対にもかかわらず、護民官ガビニウスの提案は圧倒的な多数を得て市民集会で可決された。可決されただけで、高騰していた小麦の価格が急落した。元老院議員六百名による、言ってみれば集団指導制は、抜きんでた能力をもつ一人の人物の前に敗れたことになる。スッラがあれほども再建に執着した元老院主導型のローマ共和政は、紀元前一世紀のローマが直面していた現実に合わないことを、示した一例でもあった。

元老院の権威を傷つけてまで市民集会が彼に寄せた期待に、ポンペイウスは完璧に答える。地中海全域に点在していた海賊たちの巣は、まず西地中海域の一掃からはじまり、それを終えるや東地中海域になだれこんだローマ艦隊に攻め立てられて壊滅し、最後に本拠地キリキア地方の陥落によって、文字どおり一掃されたのである。断固とした総力投入と、綿密な戦術を駆使しての速攻の勝利であった。この海賊一掃作戦に要した日数は、八十九日。たったの八十九日間で、ポンペイウスは地中海に、「パクス・ロマーナ」を確立したのである。その年、紀元前六七年の夏には早くも、地中海の航行は安全になり、イタリアへの小麦の輸入も、従来の量にもどった。

ローマでのポンペイウスの名声が急騰したのは当り前だが、海賊に神殿を襲われ、都市まで略奪を受けて絶望していたギリシア人は、ポンペイウスを神とさえ呼んで讃えた。

ポンペイウスは、与えられた「絶対指揮権（インペリウム）」の三年間という行使期限のうち、三ヵ月しか使わなかったことになる。

とはいえ、目的は完璧に達成されたのだ。彼が「元老院体制」に忠実であろうとすれば、ローマに凱旋（がいせん）し、「絶対指揮権」はその時点で返上すべきであった。紀元前五世紀の人であるキンキナートゥスは、六ヵ月が任期の独裁官に任命されて大権を手中にしたが、それを使って十五日間で外敵を追い払った後はただちに「絶対指揮権」を返上し、もとの晴耕雨読の生活にもどったという。これでないと、元老院という少数のエリートが主導する型のローマ共和政は、守り抜くことはできないのである。

だが、三十九歳のポンペイウスは、それをしなかった。また、紀元前一世紀のローマでは、時代もそれを求めていなかった。

海賊一掃に成功したポンペイウスは、その後も首都ローマにはもどらなかった。もどれば、凱旋式挙行という名誉は与えられるが、その代わり、挙行後には「絶対指揮権(インペリウム)」を返上しなくてはならないからである。それでポンペイウスは、帰都はしないでおいて、市民集会に次のことを提案した。このときの提案者も、もはやポンペイウスの代理人であることを誰一人疑わない、護民官ガビニウスだ。今度は、元老院にはおうかがいを立てることさえもしなかった。

「中近東戦線の最高責任者であるルクルスを解任し、代わりにポンペイウスをそれに選出する。選出された場合、ポンペイウスには、彼が現にもつ『絶対指揮権(インペリウム)』を必要とする時期まで延長し、中近東一帯の紛争の源であるポントス王ミトリダテスの制圧を一任する」

これにはまたも、元老院議員の大半が反対した。一個人に権力が集中しすぎることへの危惧(きぐ)に加え、解任されようとしているルクルスは、スッラ門下の〝師範代〟と自他ともに許す、「スッラの改革」の忠実な遂行者である。つまり、骨の髄まで元老院派なのだ。

たしかに、紀元前七四年にオリエントに送り出して七年が過ぎようとしているのに、対ミトリダテス戦役は終わっていない。それは、第Ⅲ巻でも述べたように、軍事的才能には優れながら官僚的な性格のルクルスにも責任はあったのだが、長期化した戦争に厭気がさすのは誰にとっても同じである。しかし、もういいかげんに決着をつけてもらいたいという想いをポンペイウスに託した市民たちに比べ、元老院議員の大半は、自分たちの派の重鎮ルクルスを切る気にはなれなかったのだ。だが、今度も賛成側にまわったのは、キケロとカエサルだった。そして、市民集会は、三十五ある選挙区のすべてが賛成票を投ずるという形で、ルクルスの解任とポンペイウスへの大権続行を決めた法案を可決した。元老院はもはや孤立し、無力を露呈するだけだった。

按察官就任

海賊の心配もなくなり経済活動も活溌さをとりもどし、オリエントもポンペイウスにまかせたからには勝利の知らせを待つのみとなったローマが、活気に満ちた平和を享受していた紀元前六五年、三十五歳のカエサルは、「名誉あるキャリア」、つまり政治キャリアの第二段階に到達する。按察官に選出されたのである。この官職への三十五歳での就任は、人々の注目を引く昇進ではまったくなかった。よく評しても、順当というところである。ただし、カエサルのほうが、造営官と訳してもかまわないと思われる、民衆と直接に接するこの役職を、徹底して活用すると決める。

就任直後からカエサルは、彼以外の三人の同僚など眼中にないという感じで、次々と派手な事業に着手した。紀元前三一二年の敷設以来ますますその重要さが認識され、「ローマ街道の女王」とまでいわれたアッピア街道の、大々的な補修工事がはじまる。

一方、こちらのほうは明らかに人気とりを目的にした剣闘士試合の、華やかなプロデュースも忘れない。三百二十組となれば、六百四十人になる剣闘士を借りきったことになる。しかも剣闘士たちには、右腕を守るために着ける腕鎧を、すべて銀で製作して着用させた。試合場に出たときに、陽光を浴びて光り輝く効果を狙ったのである。独創的なアイディアならば、生涯不足しなかったカエサルのことだ。剣闘試合のプロデュースなどは、彼自身がまず熱中し、愉しんだにちがいない。元老院のお偉方たちは眉をひそめはしたが、民衆はおおいに愉しみ満足したのである。

ただし、カエサル個人の借金は、按察官を務めた一年間の出費によって、すでに莫大であったのがもはや天文学的な数字に変わる。とはいえ、借金は身を滅ぼすとは考えない彼は、平然としてはいたのだが。

借金が増えてしまったのは、これらの事業をカエサルが自費で行ったからである。もちろん、国家ローマには、街道の修理費も市民の娯楽のための剣闘試合の費用も、国費から払われるようにはなっている。しかし、質実剛健が好きな元老院のお偉方が許すのを待っていては、額も限られ実施も先送りされかねなかった。これを嫌ったカエサルは、自費でやることにしたのである。自腹を切ってやるのならその人の自由で、金持が公共事業を請負うのは、ローマでは伝統にもなっていた。

街道修理や派手な剣闘試合で集めた人気を、カエサルは活用する。スッラが破壊させたままで十六年が過ぎていたマリウスの戦勝記念碑を、再びもとの場所に再建したのだった。按察官の任務には、古い建物や碑文の修復もあるが、いまだ国賊あつかいのマリウスの戦勝記念碑の再建は、政治的行為になる。元老院はまたも眉をひそめたが、それだけだった。久方ぶりに眼にする自分たちの英雄を記念する碑の前で涙する民衆の眼前でそれを再び倒すことは、元老院にもできなかった。

だが、これによって、ローマの庶民はカエサルを、自分たちの希望の星と見るようになる。このようにして、カエサルにとっての初の重要官職は任期切れを迎えた。政治的にはたいした業績はなかったにしても、庶民たちの好感と、多くの借金を獲得する形で。

三十七歳にして起ちはじめる

アレクサンダー大王やスキピオ・アフリカヌスやポンペイウスのような早熟の天才タイプでなくても、男ならばせめて、三十歳になれば起ってくれないと困る。それなのにカエサルが「起つ」のは四十歳になってからだから、伝記を書く者にとってはこれほど困る存在もない。

それも、「起った」とたんにローマ世界は彼を中心にしてまわりはじめるという珍しいタイプの男でもあったから、困るのは二重になる。

実際、近現代の歴史研究者たちの筆になるローマ史では、四十歳以前のカエサルにはほとんどふれられていない。だが、これでは伝記は書けない。それで、カエサルの伝記に挑戦する歴史研究者は、起ったとたんに世界は彼を中心にして動きはじめるような男を生んだ時代はどうであったのかを書く必要に迫られる。その結果はどうなるかというと、カエサルが「起つ」以前のローマ史を、伝記の前三分の一ほどを使って記すのが普通だ。

ところが私が目指しているのは、この連作の通し表題を『ローマ人の物語』つまり

「ローマ人の諸々の所行（ジェスト）」としたことが示すように、人物を描きながら時代を描くことにある。ために、カエサルの伝記作者が前三分の一を費やして書くのが普通の「彼を生んだ時代」は、第Ⅲ巻の『勝者の混迷』ですでに書き終えてあるという結果になった。とはいえ、起（た）ったとたんに世界は彼を中心にしてまわりはじめるような男では、「起つ前」の重要さも他者とは比較にならない。それで、重複にはなっても、第Ⅲ巻ですでに述べたことを、今度はカエサル側から叙述したのがここまでの内容である。つまり、ここからはじめて、第Ⅳ巻に入っていくことになる。そして、第Ⅲ巻の前三分の一を費やして述べたグラックス兄弟についても、カエサルの生まれる二、三十年昔のことであったからといって、カエサルに無関係ではまったくない。天才は、彼の生きた時代を越えたからこそ天才なのである。しかし、時代を越えることができるのも、十全に時代の子であったからなのだ。私の頭の中では、第Ⅲ巻『勝者の混迷』と、第Ⅳ巻『ユリウス・カエサル』は、このような感じでつながっているのである。

　そして、通史を書く視点ならば、「起つ」ところから書きはじめてもいっこうに不都合ではないが、伝記という、人物により近く迫る形式にも無関心でない以上、「起ちはじめる」時期にも眼を配らざるをえないのは当然の過程になる。カエサルにとってのこの時期は、紀元前六三年からはじまる。三十七歳から彼は、「起ちはじめる」

のである。一見平穏だったローマに、「カティリーナの陰謀」の名で知られる社会不安が爆発した年からだ。

グラックス兄弟によって白日のもとにさらされたローマ社会の矛盾が、六十年が過ぎてもなお、根本的な解決には至っていなかったという証拠でもあった。

最高神祇官（ポンティフクス・マクシムス）

紀元前六三年、最高神祇官だったメテルス・ピウスが死んだ。前八三年にイタリア上陸を強行したスッラの許（もと）に馳（は）せ参じ、内戦をともに闘い、その後もポンペイウスと協力してスペインでの「セルトリウス戦役」を闘い抜いた老将である。もちろん、スッラ派の長老格で、「元老院派」の重鎮と見られていたが、ピウス（慈悲深い人）という綽名（あだな）をたてまつられたことからも明らかなように、人格円満な貴族だった。最高神祇官（ポンティフクス・マクシムス）は、宗教儀式を司（つかさど）る祭司、女祭司、神祇官とくるヒエラルキーのトップに位置する。国家行事には祭儀がつきものであったローマだ。空席はただちに埋められねばならなかった。

三十七歳のカエサルは、これに狙いを定めたのである。しかし、功なり名をとげた人が就任する名誉職と思われていた最高神祇官だ。対立候補の顔ぶれもそうそうたるものであった。二人のうち一人は、セルヴィリウス・イザウリクス。紀元前七九年の執政官を務め、凱旋式挙行の実績を誇る。もう一人は、ルタティウス・カトゥルス。こちらは前七八年の執政官経験者で、〝院内総務〟としてもよい、元老院の「第一人者(プリンチエプス)」だった。二人とも、年齢は六十歳前後。三十七歳のカエサルには、この他にも不利なことがあった。

「スッラの改革」によって、紀元前八二年以降、最高神祇官(ポンティフクス・マクシムス)は神祇官(ポンティフクス)の間での「話し合い」によって決まると改められていた。元老院階級の権力と権威の向上に努めたスッラである。神祇官になる者には生まれからも元老院階級に属す者が多いので、彼らの間にかぎられる談合によって選ばれる最高神祇官も、実際上は元老院階級の独占になるよう考えての配慮であった。法的にならば、紀元前三六七年の「リキニウス法」以来、この地位は平民にさえ開かれていたからである。

しかし、「スッラの改革」に忠実をつづけたのでは、十年前から神祇官であることから自らも神祇官たちの談合の席に連なる権利をもつカエサルとて、不利は明らかである。対立候補二人の輝かしいキャリアに比べ、彼にはまだ、会計検査官(クワエストル)と按察官(エディリス)の経歴しかない。年齢の若さも、このような場合には不利に変わる。

それでカエサルは、友人の護民官ラビエヌスに、一つの法案を提出させた。それは、紀元前一〇四年に成立していた「ドミティアヌス法」の再提案という形をとる。この法によれば、最高神祇官の選出は、三十五ある選挙区中抽選で選ばれた十七選挙区の投票で決められる、となっていた。表向きの提案者である護民官ラビエヌスは、市民集会に集まった市民たちに向い、宗教祭事の最高責任者を元老院階級の独占から解放し、市民全体のものにもどすべきである、と提案理由を説明する。市民にもとより異議があるはずはなく、この提案は可決された。

だが、これでもカエサルの当選は、まだ確定ではなかった。二年前の按察官（エディリス）時代の派手な剣闘士試合のプロデュースのおかげで人気者にはなっていた彼だが、対立候補の二人は、存在の重さからしてちがう。それで彼は、選挙運動をしたのである。立合演説会の習慣のないローマでの選挙運動は、次の四種に分類できた。

一、サルタトーレス――言ってみれば、家庭訪問をする人、である。運動員は各家庭をまわり、誰それに投票してくれるよう依頼する。

二、アセクタトーレス――投票権を持っているのは成年男子のローマ市民権所有者だけなのだから、この有権者たちが仕事で通うフォロ・ロマーノや市場などに行くときに同伴し、道すがら勧誘する運動員を指す。
三、レドゥクトーレス――㈡が往路であれば、㈢は、同じことを仕事場から家まで帰る道すがら行う人々のこと。都心で待ちかまえていて、これと思う市民を見つけ、その人を家まで送りながら勧誘する運動員のことだ。
四、ノーメンクラトーレス――他人に影響力を持つ人は常にいる。そのような人を狙い撃ちし、説得し、勧誘する運動員を指した。

この選挙運動方式は、カエサルの独創ではない。この前年の紀元前六四年に、前六三年度の執政官に立候補したキケロも、同じような選挙運動を行っている。

年齢も不足なく、ローマ最高の弁護士として知名度も抜群だったキケロだが、泣き所がなかったわけではない。それは彼が、首都ローマに出てきて成功した地方出身者であることに加え、先祖に元老院議員を出したことのない家柄出身の、「新参者（ホモ・ノヴス）」であったことである。この種の新参者を、自分たちの血筋に誇りをもつ元老院階級は、多少とも常に疑いの眼で見ていた。それに、同郷の先輩マリウスとちがって、キケロには、勝利に輝く凱旋将軍という、庶民の血を沸かせる条件もなかった。選挙運動はせざるをえなかったのである。

それでも、弁護士で成功しているキケロには、多数の運動員を傭（やと）える経済的余裕があったが、生家はつましく、弁護士業を試みれば失敗、官職に就けば派手に金を費(つか)うことしかしなかったカエサルには、それもない。このカエサルの選挙資金は、例によって借金に頼ったから、その額はかさむ一方だった。

選挙の当日、立候補者の着ける純白(カンディド)のトーガを身にまとったカエサルは、玄関まで送ってきた母アウレリアに言った。

「最高神祇官に当選しなかったときは、わたしの帰宅を待たないでください」

なにも、落選したら絶望して自殺するかも、と言ったのではない。ローマ最高の名誉職に大物二人を向うにまわして立候補するなどという冒険をあえてした以上、落選でもしようものなら首都に居づらくなり、冷却期間を置く必要からまたも国外脱出せざるをえなくなるから、覚悟しておいてほしいと告げたのである。だが、幸運の女神は、大胆な勝負師に味方する。その夜、三十七歳のカエサルは、最高神祇官になって帰宅したのだった。

しかし、なぜカエサルは、この若さで最高神祇官になりたかったのか。実際、彼の立候補を予想した人は一人もなく、立候補を知った元老院は驚いたくらいである。最高神祇官は名誉職で、利権とはまったく関係のない公職だった。野心満々の若いエリートが、借金までして狙う公職とは思われていなかった。とはいえ、利点はいくつかあったのである。

一、宗教面での最高責任者であること。

二、執政官でさえ二人という複数構成がきまりのローマの公職にあって、珍しくも同僚をもたない一人きりの公職であること。

三、それでいて、他の公職との兼任が可能であること。

四、任期の限られているローマの公職の中では例外的に、終身職であること。

五、これまたローマの官職では唯一、公邸を与えられていること。

カエサルという男は、あらゆることを一つの目的のためだけにはやらない男だった。彼においては、私益と公益でさえも、ごく自然に合一するのである。最高神祇官就任も、その一例であったにちがいない。元老院体制という従来の集団指導方式に、統治能力はもはやなしと考えていたカエサルである。それを打倒した後に樹立する新秩序は、権力とともに権威もそなえていなければならなかった。集団指導方式ならば、その担当者である元老院議員たちの権威は、紅色のふち取りで飾った白のトーガを身にまとう程度で充分かもしれない。なにしろ、六百人である。だが、もしも担当者が一人ということになれば……。迷信にも無縁で人一倍合理精神が豊かであったカエサルは、宗教もまた、統治の重要な一要素と考えたのだと思う。

最高神祇官に就任したとたんに、カエサルは公邸に居を移した。庶民地区スブッラの喧騒(けんそう)から逃れるため、ではまったくない。公邸はフォロ・ロマーノの中央近くにあるので、喧騒の種類はちがっても度合いは変わらなかった。市民集会でも開かれる日には、いかに外部とは隔絶した造りのローマ式住居ではあっても、壁を通し内庭の吹き抜けを通して入ってくる音は、無視できたものではなかったろう。それに、最高神祇官公邸とはいっても、広さもさほどではなく、パラティーノの丘の上の豪邸とは比べようもない質素さだった。公邸が王政時代の王の屋形の場所にあったので、ローマの力が弱かった時代の規模をそのまま踏襲していたからである。

しかし、なにはともあれ、ローマの都心中の都心フォロ・ロマーノに住居をもてるのは、最高神祇官一人である。フォロ・ロマーノに集うことの多いローマ市民たちへの心理的効果も、彼の考えになかったと言っては嘘(うそ)になる。そして、フォロ・ロマーノに住まいをもてば、人も立ち寄りやすくなる。政治家の家は、誰に対しても開かれていなければならない。ユリウス・カエサルは、この公邸に、暗殺される日まで住むことになる。

反「元老院派」第一歩

最高神祇官に就任したと同じ年、カエサルは、再び親友の護民官ラビエヌスを通して、元老院議員のラビリウスを告発した。訴因は、三十七年前の紀元前一〇〇年に、ときの護民官サトゥルニヌスとその一派を殺害した折りの主犯であった、というのである。この事件は、第Ⅲ巻『勝者の混迷』の一二〇頁から一二一頁（文庫版第6巻一六九〜一七〇頁）にかけて述べたことだが、急進的な改革を強行しようとした護民官サトゥルニヌスの再選の試みを、元老院は非常事態宣言にも似た「元老院最終勧告（セナートゥス・コンスルトゥム・ウルティムム）」を発布して、実力でつぶした事件だった。

しかし、告発された元老院議員ラビリウスは、三十七年前に先頭に立って鎮圧したというくらいだから、三十七年後の紀元前六三年にはもうよれよれの老人になっている。それに、可もなく不可もなしという、平凡な元老院議員だった。

市民たちの同情は、思いもかけない三十七年も昔のことを持ち出されたこの老人に集まった。久方ぶりに「新参者（ホモ・ノヴス）」から出た執政官として、庶民の代弁者になりたい想いのキケロも、いち早くこの空気を察する。執政官自らが、老元老院議員の弁護に立ったのだ。カエサルとラビエヌスは、敗訴側にまわりたくなければ、戦術を変えざるをえなくなった。

フォロ・ロマーノ内にある会堂(バジリカ)の一つで開かれた裁判に市民たちが集まっていたとき、突然、誰かが走りこんできて大声で告げた。ジャニコロの丘に赤旗がひるがえっている、と。

王政時代に隣国のエトルリアの王に攻めこまれていた時代からの習いで、ローマでは外敵が攻めてくると、テヴェレ河の西岸のジャニコロの丘の上に赤旗をかかげ、それで敵襲来を市民たちに告げる習慣がある。赤旗がひるがえったのを知るや、市民たちは公務も仕事も投げ捨てて家にもどり、防戦の準備に没頭するのが決まりだった。ローマの覇権が地中海全域におよぶようになった紀元前一世紀、そのようなことはもう何百年も行われていないのはもちろんだが、習慣というものは長く残る。それで、裁判のためにフォロ・ロマーノに集まっていた市民たちも弁護士役のキケロも被告人のラビリウスも、これを知るや、情報の正否を確かめることもせずに法廷を捨て、各自の家にもどったのだった。

当り前の話だが、これが虚報であることは一日も経ないうちに判明する。しかし、判明した後でも告発者は知らん顔だったので、法廷もウヤムヤのうちに閉会したのである。

後世の研究者たちは、雲行きが怪しくなったのを見たカエサルが茶番劇を演出したのだ、とする。たしかに彼にとって状況は不都合に進みはじめたので、笑劇に変えることで終わりにしたのだろう。だが、これを、若きカエサルの未熟ゆえのオッチョコチョイと見たのでは、読みを誤る。彼の目標は、よぼよぼの一元老院議員を弾劾することにはなかった。彼の狙いは、もっと上にあった。

これより五十八年昔の紀元前一二一年に、時の護民官ガイウス・グラックスによって、それまでの暗黙裡の約束をはっきりと明文化した一つの法律が成立していた。この「センプローニウス法」によれば、ローマ市民権所有者は、たとえ死刑の宣告を受けても市民集会に控訴する権利をもつ、と認められている。

しかし、第Ⅲ巻の七三頁（文庫版第6巻一〇〇頁）で述べたように、この法は、元老院がローマ史上はじめて発動した「元老院最終勧告」によって踏みにじられた。この非常事態宣言は、反国家の行為をした者には、執政官は裁判なしでも殺す権利を与えられ、その最初の犠牲者が、暴徒と見なされたガイウス・グラックスとその同志たちであったのだ。

立法者が犠牲者になってしまったこともあって、「センプローニウス法」はその後、死文化してしまった。そしてそれと反比例するかのように、「元老院最終勧告」のほうが多発されてくる。カエサルの真の狙いは、「元老院最終勧告」の非合法性を突くことにあった。

元老院は、ローマの政体では唯一(ゆいいつ)、選挙の洗礼を経ない人々で構成される機関である。王政時代には王に助言する一門の長たちの集まりであったことから、共和政に移行した後でも、勧告機関ではあっても決定機関ではないのが伝統になっていた。だがそれも、大国カルタゴとの間で闘われたポエニ戦役時代に実に見事に機能したおかげで、その後もなお、決定機関の色彩は強まりこそすれ弱くはならなかったのだ。護民官たちは、グラックス兄弟をはじめとしてしばしばこの元老院の強権に抵抗を試みたが、いずれも失敗に終わっている。元老院が、「元老院最終勧告」という、最強の武器をもっていたからであった。

カエサルは、「元老院最終勧告」の発布を受けて、護民官サトゥルニヌス以下のローマ市民を裁判もなく控訴権も認めずに殺害した一人として、老いたラビリウスを法廷に引き出すことで、「元老院最終勧告」の非合法性を、市民たちの前で洗い出す魂胆であったのだ。そして、あわよくば、元老院派にとってのこの最強の武器を、彼らの手からもぎ取ることも。自分が生まれた三十七年前にまで遡らざるをえなかったのは、その年が、市民の代表である護民官に対して、「元老院最終勧告」が発布された最後の年であったからである。

しかし、結果は一場の笑劇で終わった。だが、笑劇で終わったことは、敗北で終わったことではない。そして、勧告権しかもたず決定権はもっていないはずの元老院が、非常事態宣言のような強権を発動し、それによって同じローマ市民を裁判にもかけずに殺す権利をもつか否かという問題は、まもなく再び問われることになる。それは、紀元前六三年の残り四分の一のローマを緊張の極に落としこんだ、「カティリーナの陰謀」によってであった。

「カティリーナの陰謀」

ルキウス・セルギウス・カティリーナは、紀元前六三年当時、四十五歳という男の盛りの時期にあった。没落した貴族の出身である。若い頃から、スッラの下で頭角をあらわす。武将としての才能にも恵まれていたが、何よりも情容赦なく命令を実行する点を、スッラも重宝していた。スッラが強行した「マリウス派」一掃作戦を、陣頭指揮した一人がカティリーナであったのだ。ただし、武将の才能には恵まれていても、包容力には欠けていた彼は、スッラの死後は、同年輩でも大金持の御曹司らしくおおらかな気質のポンペイウスに、大幅に差をつけられていた。

それでいて、カティリーナも、時代の子であった。紀元前一世紀、地中海世界全域の覇権者になったローマは、カルタゴに勝った当時でさえ味わったことのない、経済の大規模な活性化にゆれ動いていた。多くの物産が、とくに日常必需品でない華美な品が、東地中海域からローマに流れこんだ。質実剛健を誇っていたローマの男たちも、その波を頭からかぶることになる。若者たちにとっては、金はいくらあっても足りない時代になった。借金は、支配階級の子弟の間でさえも、ごく普通の現象になっていた。

ただし借金も、それにどう対応するかによって、もたらす影響が陰と陽に分けてもいいくらいにちがってくる。没落貴族の出でもともと金のないカティリーナも、欲求を満足させたいと思えば借金に頼るしかなかったのだが、それでいて彼は、借金は身を滅ぼすと信じ、その強迫観念にさいなまれずにはいられない男だった。彼よりは八歳下のカエサルは、借金の額ならばカティリーナよりは断じて多かったにかかわらず、借金は身を滅ぼすとは信じていなかったために、強迫観念からも自由でいられたのである。

結果としてカティリーナは、才能豊かな自分をこのようなことで苦しませる社会を憎み、性格も立居振舞いもますます暗く変わっていく。私は、キケロがこのカティリーナを弾劾した、ならず者、殺人者、姦通者、背任者等々の非難は半分も信じないが、それはキケロが、弁護士型弁論によく見られるように、目的の前には手段を選ばない言辞を弄するのが常だったからだが、カティリーナという男は生まじめな男ではなかったか、とは思う。単なるならず者でしかなかったならば、三千人もの同志が彼と死までをともにするはずがない。そして、ローマ史上有名な「カティリーナの陰謀」も、実に生まじめにはじまったのであった。

二年前の紀元前六五年の冬、翌年度の執政官選出の日が迫っていた頃のことである。四十三歳と資格年齢にも不足ないカティリーナは、それへの選出を狙っていた。公約も、はっきりと示した。借金全額帳消し、がそれである。だが、選出は市民集会で行われるが、それに立候補を許すか否かは元老院が決める。元老院の大勢は、急進的で経済原理にも反した公約をかかげたカティリーナの立候補を、許可しない方向で固まっていた。とはいえ、許可しない場合はそれなりの理由が必要だ。理由は、アフリカ属州総督時代の汚職を告発された裁判の最終結果が、まだ明らかでないということだった。裁決はまもなくなされ、カティリーナの無罪は明らかになるが、そのときはもう立候補の受付期間を過ぎていた。わざと裁決を遅らせた気配が濃厚だが、いずれにしてもカティリーナは、立候補もできずに終わったのである。

しかし、彼はあきらめなかった。次の年も試みたのだ。今度は元老院も立候補を認めない理由が見つからず、カティリーナは、紀元前六三年度の執政官選挙に立候補を果す。公約も、借金全額帳消しで、前年と同じだった。

ところが、その年の対立候補二人は強敵だった。一人はキケロ。弁護士で稼いだ知名度を背に、久方ぶりの地方出身者の執政官実現を目指す。先祖に元老院議員をもたないこの「新参者(ホモ・ノヴス)」にとって有利であったのは、生まれからしてもスッラ派であったことからも「元老院派」に属しながら、過激な政策をちらつかせるカティリーナに脅威を感じた元老院が、自派とは縁の薄いキケロの立候補にもアレルギーを起こさなかったことだった。

もう一人の対立候補は、ガイウス・アントニウス。当人の才能や人柄ならばたいしたことはなかったが、キケロの前の世代の大弁論家であった人を親にもつ。有名な法学者で弁護士だった父の名声は、庶民の耳にはまだ健在だった。またこの人には、ローマ一の金持のクラッススから、豊富な選挙資金が流れこんでいた。

結果は、キケロとアントニウスの当選である。カティリーナは、次席で我慢するしかなかった。

だが、これでもまだ、カティリーナはあきらめなかったのである。紀元前六三年十月二十日に開かれた翌・前六二年担当の執政官選挙にも、三たび立候補した。そのときの対立候補は、前年に比べれば与しやすい相手だった。ユニウス・シラヌスとリキニウス・ムレーナであったからだ。だが、投票結果では、またもカティリーナは次席に終わった。ところが、翌・前六二年担当の執政官に当選した二人のうちの一人ムレーナが、選挙違反で告発されたのである。もしもムレーナが有罪と決まれば、次席のカティリーナがくり上げ当選になるという事態に、「元老院派」はあわてた。借金全額帳消しなどというラディカルな政策が実現するのは、何としても避けるべきだということで一致する。この「元老院派」の意を受けたキケロが、執政官の任期中というのにムレーナの弁護に立った。

選挙違反は、実際にはあったらしいのである。だが、ローマ最高の弁護士といわれたキケロだ。黒を白と言いくるめることなど朝飯前だったろう。ムレーナは無罪と決まり、カティリーナのくり上げ当選も夢と消えた。

絶望は、人を過激にする。とくに、生まじめで思いつめる性質の人ほど、容易に過激化しやすい。

カティリーナのもとに集まった不満分子たちは、大別すれば二種になる。

カティリーナと同じように、生まれは良くても、その良い生まれに準じた生活水準を維持しようとして借金に借金を重ね、それを苦にしたあまりに、現状打開の道を過激な方向でしか考えられなくなった人々。経済活動の活性化は、しばしば富の急激な格差を生む。誰もがクラッススのように、目端(めはし)がきくわけではなかった。

第二番目は、スッラの部下であった兵士たちである。彼らはスッラによって、退役後に土地を給付されて自作農になっていたのだが、兵士から農民への転換に失敗した人々でもあった。平野が広がるナポリ近郊のカンパーニャ地方に、土地をもらった兵たちはまだよい。だが、丘陵がつづくトスカーナ地方に植民した者は、剣を鋤(すき)や鍬(くわ)に代えるのもよりむずかしかったのだ。

また、スッラは、配下の兵たちの総合戦力には常に配慮を怠らなかったが、軍団ごとの結束や同志的結合には、さしたる関心を払わなかった武将である。抜群の才能に恵まれそれに強い自信をもっていたためか、スッラという男には、彼が重要と考えた事柄以外は投げやりにする傾向があった。

フィレンツェを中心とするトスカーナ地方に植民したスッラの旧兵たちは、不慣れで困難な仕事に、仲間うちで助け合うこともなしで直面せざるをえなくなる。それで気も荒くなった彼らと近隣の農民たちの衝突も、日常茶飯事になった。愛着のわかない土地ゆえ、借金の担保にするにも抵抗がない。借金を返済するには働かなくてはならないが、農業を嫌うようになった彼らにはその気もない。土地を失いそのうえ借金に借金を重ね、どうにもならなくなった絶望は、借金に首を締められる想いの貴族たちと同じだった。

カティリーナのもとに集まった人々には、現状に不満ならば当然加わってよい、都市在住の無産階級（プロレターリ）はいない。それは、この人々には担保にできる資産がなく、それゆえに借金さえもできない身分だったからである。借金に苦しむ人々には、イタリア各地の自作農もいたのだが、彼らにはまだ土地があり、投票だからといって簡単にはローマに来られなかった。

カティリーナの「陰謀」には、当然のことだが、「騎士階級（エクイタス）」と呼ばれた経済人は参加していない。この人々は、金を貸す側であったからだ。

このようなわけで、キケロが信じさせようと躍起になったわりには、「カティリーナの陰謀」は、ローマ社会の不満分子を結集したほどのものではなかった。ただし、ローマ市民権所有者であることから立派な有権者でもあるスッラの旧兵たちが、カティリーナに投票しようと大挙してローマに来ていたのは、やはり人眼には立った。兵士の服装はしていなくても、歩き方でわかるのである。おかげでキケロは、現執政官の職権で親衛隊を組織し、自らもトーガの下に胸甲をつけ、それが人にもわかるようにチラチラ見せることで、対カティリーナの危機感をあおったのである。陰謀をたくらんでいるにしては、その「主犯」のカティリーナは、普通に街中を歩きまわり、元老院にも出席していたからであった。

クーデターは、首都ローマ内で蜂起(ほうき)し、トスカーナ地方で決起した軍が首都に進軍して完成するという計画であったという。この他に、スッラの旧兵がまとまって植民しているカプアでは旧兵と剣闘士が決起し、南伊のカラーブリア地方では農民が立ちあがり、北伊のポー河以北でも、農民が決起する手はずになっていたようである。南伊と北伊の決起は、スッラに対抗した罰でローマ市民権をまだもらってない人々の、それを要求しての決起だった。

しかし、一見しただけでも、ずいぶんとずさんな計画である。首謀者の中で指揮能力があるのは、カティリーナの他には、トスカーナ地方での決起を一任された、元スッラの部下マンリウスしかいない。実際、カプアでも南伊でも北伊でも、誰一人起たなかった。ローマ内での蜂起をまかされたいわゆる首謀者格の顔ぶれも、貧弱と言うしかない。

まず、レントゥルス。紀元前七一年の執政官を務めた人だが、その後の行いが元老院議員にふさわしくないとされ、元老院を追放されている。失地挽回を期して、紀元前六三年のその年には、法務官に選出されていた。この他には、二人の元法務官が加わっている。他に、若い元老院議員が一人と、若い貧乏貴族、騎士階級から一人。いずれも、借金で首がまわらなくなっていることと人望のないことでは共通していた。

決行の日は、スッラの戦勝記念日でローマ人の注意が祭りに集中している十月二十八日と決める。その日、まず執政官キケロを殺し、ローマの各所に火を点け、混乱に乗じてローマを手中に収め、そこに、各地から進軍してくる決起軍を迎え入れる、という計画であったらしい。だが、計画は事前にもれた。

首謀者グループの末席に連なっていた一人が、ことの成功はまちがいなしと思ったのか、得意気に愛人の女に打ちあけてしまったのである。その女は秘かに執政官キケロの家に行き、聴いたことをすべて告げた。

キケロは、ただちに元老院を召集した。そしてその場で、噂として流れていたカティリーナの陰謀は事実であったと告げ、鎮圧のために「元老院最終勧告」を発動するよう求めた。元老院議員でもあったカティリーナは、それに出席している。一部の議員たちは色めき立ったが、元老院の大勢は、証拠なしという理由で、執政官キケロの求めに応じなかった。

その日の元老院会議に、一人の議員が遅れて出席した。息子が生まれたもので、と彼は遅刻を弁解した。その日は九月二十三日である。生まれた子というのは、オクタヴィアヌス。初代皇帝アウグストゥスとなる人である。

それから一ヵ月。決行の日が迫っているはずなのに、カティリーナの側には目立つ動きは一つもなかった。元老院も、証拠がない以上、はっきりした手は打てない日々がつづく。だが、陰謀は噂だけ先歩きし、元老院でもローマ市内でも、人々の話題はこのことでもちきりだった。

元老院議員の間では、カティリーナの才能を高く買う人が少なかったこともあって、黒幕がいるはずだと言う人が多かった。

黒幕と目されたのは、第一にクラッススである。クラッススがライヴァル意識を燃やすポンペイウスは、海賊一掃作戦に成功した後のオリエント遠征でもめざましい成果をあげ、宿敵ミトリダテス王を自殺に追いこみ、近々の凱旋(がいせん)が予定されている。ポンペイウスとクラッススの仲が悪いことは、ローマでは子供でも知っていた。輝かしい戦績とそれに気を良くした大軍を率いてのポンペイウスの帰国を、クラッススは怖(おそ)れ、ライヴァルの帰国の前にローマを手中にしようと、背後にいてカティリーナをあやつったのだと、事情通は噂し合ったのである。陰謀にも、資金は必要だ。クラッススは、ローマ一の金持だった。

黒幕と目されたもう一人は、カエサルである。借金で首がまわらないことではカティリーナ以上のカエサルだから、借金全額帳消しを望まないはずはない、と元老院議員たちさえ考えたのである。とくにカエサルの場合は、最近とかく反元老院的な言動が目立っていた。この機に失脚に追い込めれば、「元老院派」にとっては一石二鳥だった。

実際、「元老院派」の論客として頭角をあらわしつつあったカトーは、三十二歳の若い力を全力投入して、しつこくカエサルを追及していた。

クラッススもカエサルも、証拠のない噂とはいえ、放置しておく危険は感ずる。だが、この疑惑を晴らすやり方となると、いかにも二人二様であったのだが。

十月二十日の深夜、前ぶれもない訪問客が、キケロの家の扉をたたいた。キケロが扉を開けてみると、そこには、元老院の有力議員であるクラウディウス・マルケルスとメテルス・スキピオの二人に伴われた五十一歳のクラッススの姿があった。家の中に招じられたクラッススは、キケロの前に一つの包みを差し出した。

「これらは自分の邸宅の前に置かれてあった手紙の束で、自分あてのものを読んだら、惨事が起きる前にローマを去るように、と書かれてあった。手紙の差し出し人の名はなく、他の人あての手紙もともに、執政官に届け出るべきだと思い持参した」

翌十月二十一日、キケロは急遽（きゅうきょ）、元老院を召集した。議場の中央に立った執政官は、手紙の束をもち、一人一人あて名を呼びあげ、手紙を渡していった。そして手紙をもらった人は、声を出して文面を読みあげるよう求めた。クラッススを最初に、全員が読みあげた。文面はいずれも同じで、差し出し人の名が記されていないことでも同じだった。

それが進んでいる間、カエサルは自席に坐ったままで一通の手紙をしたため、それ

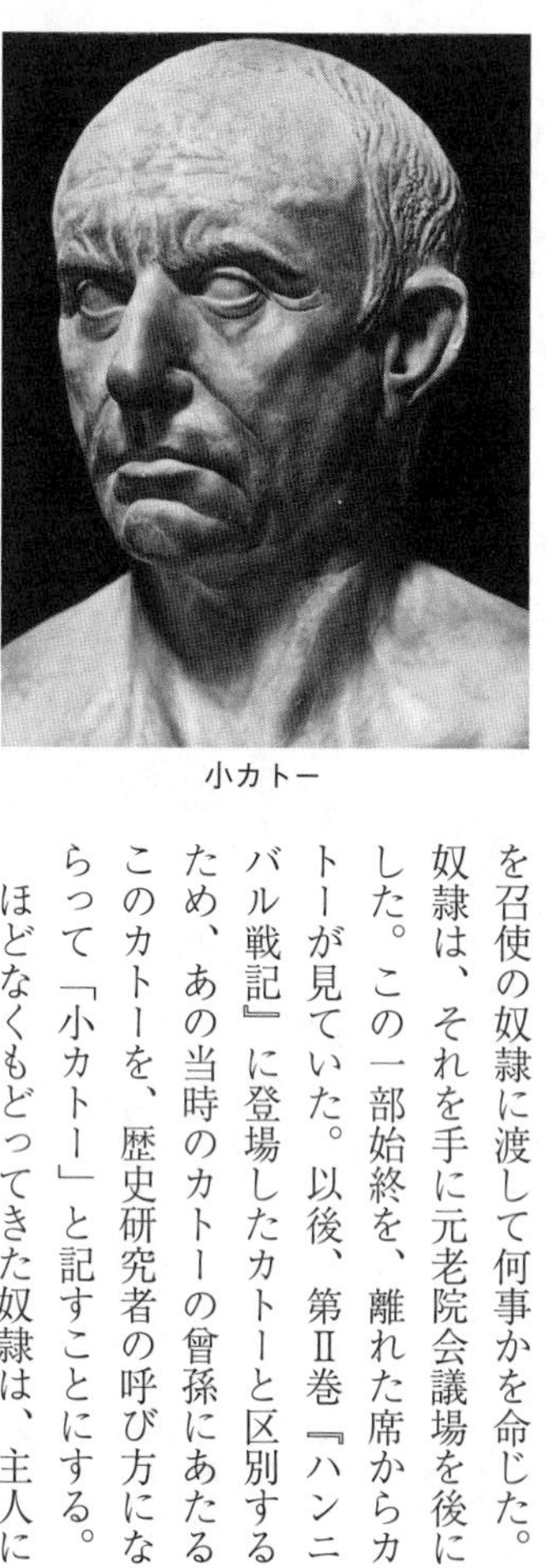
小カトー

を召使の奴隷に渡して何事かを命じた。奴隷は、それを手に元老院会議場を後にした。この一部始終を、離れた席からカトーが見ていた。以後、第Ⅱ巻『ハンニバル戦記』に登場したカトーと区別するため、あの当時のカトーの曾孫にあたるこのカトーを、歴史研究者の呼び方にならって「小カトー」と記すことにする。

ほどなくもどってきた奴隷は、主人に一通の手紙を手渡した。カエサルはそれを、自席にいて黙って読みはじめた。席から立ちあがった彼は、カエサルを小カトーは、読み終わるのを待たなかった。カエサルと外部のカティリーナ一派との間に、密なる指差しながら大声で言った。

「ほれ見たことか、議員諸君、カエサルと外部のカティリーナ一派との間に、密なる連絡があるという証拠です！」

カエサルは、それに静かに言い返した。

「これは、ごく私的な手紙にすぎない」

だが、小カトーは、カティリーナ一派からの連絡文だと言ってゆずらない。やむをえないというふうにカエサルは、手紙を小カトーに渡した。それに眼を走らせた小カトーの顔は、たちまち真赤に変わった。小カトーは手紙をカエサルに投げ返し、吐き出すように言った。

「女たらし奴(め)！」

並居る元老院議員たちの間から、爆笑が沸き起こった。プレイボーイとしてのカエサルは、周知の事実であったからだ。しかし、笑いは、早とちりした小カトーにこそ向けられていた。なぜなら、問題の手紙とは、カエサルの甘い言葉に応(こた)えたセルヴィーリアからの、恋情あふれる返信であったからである。セルヴィーリアは、小カトーの義理の姉にあたる。当時のローマでは誰知らぬ者のないカエサルの愛人だったこの女性は、この時期二十二歳になっていたブルータスの母でもあった。謹厳なプルタルコスでさえ書いたほどだ。「セルヴィーリアは、カエサルに首ったけであったのだ」

しかし、この一件だけで、カエサルに向けられていた疑惑は霧散したのである。東独の作家ブレヒトも、書いている。このようなことをさせれば、カエサルはマイスター（名手）であった、と。

そうこうするうち、カティリーナが決めたとされる決行の日の十月二十八日は近づいていた。トスカーナ地方からは、マンリウスのもとに同志集結中という知らせも入る。キケロは元老院を召集し、議員たちにことの急を説き、「元老院最終勧告」を発動するよう強く求めた。だが、出席していたカティリーナは反論し、証拠もないのに先走りする執政官を非難した。しかし、今度は、元老院のあずかり知らぬところでの兵の集結という確たる事実がある。元老院はついに、「元老院最終勧告」発動を議決したのである。

これで執政官に事態解決の全権が与えられたことになるが、確実な証拠もない現状では、カティリーナを逮捕することはできなかった。元老院にもフォロ・ロマーノにもあいかわらず姿を現わしていたカティリーナは、秩序破壊をたくらんでいるとの非難にも、証拠なし、の一点張りで応戦する。それどころか、身の潔白の証明を他者にゆだねるとでもいうかのように、元老院の長老メテルスの屋敷に、自ら求めて預かりの身にさえなった。この凍結状態の中で、問題の十月二十八日は何事もなく過ぎた。

だが、十一月六日になって、カティリーナは行動を開始する。その夜遅く、秘かにメテルス邸を脱け出したカティリーナは、一味の一人の家に急行した。そこには、法務官レントゥルスをはじめとする同志たちが待っていた。

その席で、どのようなことが話し合われたのかは明らかではない。ただ、執政官キケロを殺すことは決まったようである。密談はまもなく終わり、カティリーナは何ごともなかったように、預かり先のメテルス邸にもどった。

翌日の十一月七日の朝、殺害執行人に選ばれた二人がトーガの下に短剣を隠しもち、キケロの家に向った。ローマの有力者の家では慣例になっている朝の訪問（陳情）客にまぎれて邸内に入り、殺人を実行するためだ。ところが、警戒態勢に入って久しいキケロ邸では、朝のこの慣例行事も、ここしばらくは中止していた。おかげで殺人者二人は、閉じられた扉を前にして引き返すしかなかった。この程度のことも確認しなかったとは、間抜けな陰謀である。しかし、この一ヵ月というものいだきつづけてきた疑惑が確信に変わったキケロは、その日のうちに元老院に緊急召集をかけていた。

十一月八日、執政官キケロの召集に応じて、ローマにいる元老院議員は全員、会議場に集まった。カエサルもクラッススも小カトーも、そしてカティリーナもその中にいた。

今や、自分の全能力を投じて救うのは、これまでのような単なる被告ではなく、国家ローマであると確信している四十三歳のキケロの弁論は、はじめからエスカレートする。現代でも、ヨーロッパの高校生ならば一度は訳させられる、有名な「カティリーナ弾劾（だんがい）」の第一弾である。

「いつまで乱用するつもりか、カティリーナ、われわれの忍耐を。いつまでしらをきるつもりか、お前の無謀な行為を。次はどの手に訴えるつもりか、お前の限りない野望を実現するために。

パラティーノの丘の夜警も、ローマ市内の巡察も、庶民たちの恐怖も、まじめな市民たちの一致した反対の想いも、元老院の会議でさえ安全なこの場所（パラティーノの丘）で開かねばならなかった事情も、そしてここに列席の議員たちの心配気な表情もすべて、お前を愕然（がくぜん）とさせ正気にもどすことはできなかったのか。

お前の陰謀はもはや明らかだ。それに気づいていないのか、お前の考えはもはや、誰もが知るところとなっているのを。昨夜、何をしたのか。どこに行ったのか。共謀者の誰と誰が召集されたのか。そこで何が決まったのか。まさか、これらの事実をお前だけが知らないと言うつもりではあるまい。

おお、輝かしい過去よ、輝かしい伝統よ。かつての元老院は執政官は、秩序回復への対策に迷いはしなかった。それなのに今、破壊者はまだ生きている。生きているど

キケロ(左)に弾劾されるカティリーナ(右下。19世紀に描かれた想像図)

ころか、元老院に出席さえする。そして、われわれの一人ずつを、殺人者の眼つきで見、殺すか生かしておくかを決めて記録する。それなのに世界に類なき権力をもつわれわれが、祖国のために貢献を惜しまなかった元老院議員たちが、この人物の憎悪と短剣から逃がれられるか否かを試されるとは何ごとか。

お前にこそ死を、カティリーナ！　もっと前から、執政官はお前を裁きの場に引き出すべきであった。お前が悪をまき散らす、もっと前から。

かつて、最高神祇官ナシカは、元老院や執政官の命令がなくても、共和政への弾劾をやめなかったティベリウス・グラックスの鎮圧を強行した。それなのに今や執政官は、火災と殺戮によってローマ社会を混乱に陥れようとしているカティリーナを、耐えつづけねばならないのか。……われわれは、カティリーナ、お前のような者を想定した厳しい暫定措置法（「元老院最終勧告」のこと）をもっている。ローマ共和国は、元老院に賢明な権限の行使を許している。わたしは、はっきりと言おう。もしもそれを行使しなければ、わたしもふくめた執政官二人こそ、その占める地位にふさわしい能力の持主でないと、示すことでしかないことを。……

今、この瞬間のわたしは、カティリーナへの憎悪よりも、彼には受けるにも値しない憐憫で話している。カティリーナ、お前が会議場に入ってきたとき、友人であり親族でもある多くの元老院議員で、お前に挨拶した者は一人でもいたか。このような無礼は、かつて一度も起こったことはなかった。とはいえ、お前は何を待っていたのか。非難をか。まさか。沈黙という形での非難がすでに下されているというのに。そして、お前が着席するや、その近くにいた人は次々と席を立って別の席に移り、お前の席の周囲は空白になった。このような恥を、どんな想いでお前は我慢できるのか。……

カティリーナ、お前はわたしに、反撃のつもりか、お前の追放を提案するよう言った。もしもそれが元老院で可決されるなら、自分は甘んじて従うつもりであると言って。いや、わたしはいかなる提案もしないだろう。なぜなら、そのようなことはわたしのやり方に反する。とはいえ、お前は実質的にはすでに追放されているのだということは伝えよう。

ローマより立ち去るのだ、カティリーナ、共和国を、恐怖から解放するために。わたしはお前に、たった一つのことだけを求める。ローマから立ち去ることだけを。

何を待っているのか。議員たちの沈黙に気がつかないのか。彼らは、わたしに話をつづけさせる。お前はそれでも、命令が口にされるのを待っているのか。議員たちの沈黙が、彼らの意志の表示であることがわからないのか。……

ユピテル神よ、もしもあなたの予言のもとにロムルスがこの都市を建設したのなら、われわれはあなたに願う。この男とこの男の一味を、ローマからローマ人の家々から、首都をめぐる城壁から葡萄畑から、資産から住人たちすべてから引き離されよと願う。正直な人々の敵であり、イタリアの破壊者であり、悪辣な計略をめぐらす者どもであり、破廉恥な悪党の集団であり、生きようと死のうと神々を絶望させ、われわれ人間に終わりなき苦悩を与えるこの男とその一味を、ローマから追い払われんことを願う」

その夜、カティリーナはローマを去った。翌十一月九日、キケロは、召集した元老院議会の席上、勝利の宣言でもするかのように意気揚々と、カティリーナのローマ退去を報告した。だが、〝一味〟はまだローマに残っていた。そして、執政官キケロは、彼らを逮捕させる証拠をまだにぎってはいなかった。

このときから、何ごとも起こらないままに二十日が過ぎた。ローマを去ったカティリーナは、当時はエトルリアと呼ばれた現トスカーナ地方で同志を集めていたマンリウスの許に行ったが、軍事行動はまだ起こしていなかった。ローマの元老院も、北伊駐屯の軍団に移動の準備を命じはしたが、軍団にはまだ、カティリーナに対しての出動は命じていない。反国家蜂起の物的証拠は、何ひとつなかったからである。

ところが、十二月に入ってすぐのある夜、キケロの家に、ローマ人ではないことが一眼でわかる服装の人々が訪れた。彼らは、アルプスの向うの南仏属州に住むガリア人の一部族の代表者たちで、ローマには、ローマ市民権を与えてくれるよう陳情に来ていたのである。だが、それがはかばかしくいかず故郷にもどるしかないと思っていた矢先、レントゥルスが接触してきたのだと、キケロに語った。レントゥルスは、カティリーナに協力して反ローマに起てば、成功の暁にはローマ市民権を与える、と約束したという。だが、ローマへの反乱に加わるのは考えるだけでも怖ろしく、執政官に告げるほうを選んだのだと、ガリア人たちは語った。

キケロは、オトリ捜査をやることにした。ガリア人たちには、蜂起(ほうき)に加わるのには同意するが、そのようなことは部族の長の決裁を仰がねばならず、そのためにはレントゥルス以下決起代表者たちの署名つきの誓文が欲しい、と言わせたのである。この物的証拠をキケロが手にしたのは、十二月の二日から三日にかけての深夜だった。その直後、キケロは、誓文に署名のあったレントゥルス、カテーゴス、ガビニウス、スタティリウスともう一人の五人を逮捕した。署名者六人のうちカシウスは、その夜偶然にローマを発(た)っていたので逮捕をまぬがれた。

キケロ

十二月三日、元老院を召集した執政官キケロは、議員たちに署名つきの誓文を示した。そして、逮捕させた五人を連れてこさせ、署名の正否をただした。五人は、自分たちのものであることを認めた。キケロはこの時点ではじめて、陰謀を公表した。ローマ中は、現職法務官や元老院議員の逮捕に騒然となった。法務官レントゥルスの家では、奴隷たちが捕われの主人を奪回しようと集結し、駆けつけた親族の説得でようやく解散するということも起きる。フィレンツェ近くのフィエゾレにいるカティリーナが同志たちを見捨てるはずはなく、そのためにいつローマに向けて進軍してくるかと、人々は恐ろし気に噂し合った。五人の罪人の処遇を、早急に決める必要があった。

十二月五日、それを決めるための元老院が開かれた。会議場に入る議員たちに、集まった庶民の間からは口々に、罪人たちに死刑を、の声が浴びせかけられた。

非常事態宣言でもある「元老院最終勧告」はすでに発動されている。執政官には、国家秩序維持という大義名分のもとに、ローマ市民でも裁判なしで処刑する権限が与えられているということである。だが、「法の人」でもあるキケロのことだ。彼の胸の奥底にはもしかすると、「元老院最終勧告」による裁判なしの、しかも控訴権も無視してのローマ市民の処刑の合法性に、いくばくかの不安があったのかもしれない。その日の会議で、執政官キケロは、並居る議員たちに討議を求めた。そして、裁決は討議終了後に行なわれる、票決によって決めると言った。つまり、「元老院最終勧告」施行の責任を、執政官ではなく、元老院にゆだねたのである。

討論の一番手には、翌年の執政官に選出されているシラヌスが立つ。次期執政官の意見は、五人とも即、死刑だった。次いで、もう一人の次期執政官のムレーナが発言する。彼も、即、死刑論に与した。発言の三番手は、翌・紀元前六二年の法務官に当選していたことからカエサルになる。三十七歳の次期法務官は、前二者とはちがう論を展開した。それを、少々長くなるが全文を訳す。われわれ後世の者に遺されているカエサルの発言の中で、これが〝処女作〟になる。処女作にその後のすべての萌芽があるとは作家に対してよく言われることだが、それは作家にかぎらないのではないか。また、カエサルは、一見無思慮に突っ走ったかに見える十八歳当時の絶対権力者スッラへの拒否回答からはじまって、その言行は終始、一貫していた男であった。

「元老院議員諸君、諸君にかぎらずすべての人間にとっても、疑わしいことに決定を迫られた際、憎悪や友情や怒りや慈悲はひとまず忘れて対するのが正当な対し方であると思う。ヴェールにおおわれている真実を見極めるのは、容易なことではない。とくにそれが、一時期なりとも人々に満足を与え、共同体に利すると思われた場合はことにむずかしい。理性に重きを置けば、頭脳が主人になる。だが、感情が支配するようになれば、決定を下すのは感性で、理性のたち入るすきはなくなる。

わたしは諸君に、歴史を思い起こされることを願う。多くの王も多くの民も、怒りか慈悲に駆られたあげく滅亡した。それよりもわたしが、喜びと誇りをもって思い起こすのは、われわれの祖先たちの所行である。われらが祖先は、感情に流されることなく、公正であるか否かによって諸事に対してきた。マケドニア戦役当時の王ペルセウスに対しても、また、繁栄していたロードス島の反抗に対したときでもそうだった。われわれの祖先は、戦いが終わった後も彼らを罰しなかった。なぜなら、戦いを起こしたこと自体では、誰といえども罰することはできないからである。三次にわたったポエニ戦役でも、われわれの祖先のこの対し方は変わっていない。カルタゴ人はしばしば講和条約に違反したが、極刑にはされなかった。

それでだが議員諸君、現在のわれわれにも、祖先に恥じないですむ対し方が求められている。レントゥルス以下の者たちの馬鹿気た行為にいかに対処するかも、憎悪でなく、われわれのもつ名への誇りによって成されんことを望む。問題は、行為に妥当な罰は何か、ということだ。とはいえ、彼らの罪の深さはあらゆる想像を越えるものである以上、わたしは、このような場合こそ、既存の法の範囲内で処理さるべきであると思う。

わたしの前に発言した諸兄は、慎重に言葉を選びながらも、われらが共和国が直面している危険を説き明かしてくれた。戦争になった場合の残虐（ざんぎゃく）、敗者の運命、さらわれる処女や少年たち、両親の腕からもぎとられる幼児、勝者の気まぐれの餌(えさ)にされる婦女子、宝物を強奪される神殿、要するに、武器と血と涙しかない有様を眼に見るように示してくれた。

とはいえ、これらの弁論の真に目的とするところは何なのか。陰謀をより憎悪させるためか。実際には何もしていない者に対して、彼らがすると予想された事態への、恐怖をあおるためか。

それは、ちがうだろう。もしもそうなら、人間は自らの言行に恥じ入るしかなくなるのだから。

しかし、元老院議員諸君、すべての人間は平等に、自らの言行の自由を謳歌(おうか)できるわけではない。社会の下層に生きる下賤(げせん)の者ならば、怒りに駆られて行動したとしても許されるだろう。だが、社会の上層に生きる人ならば、自らの行動に弁解は許されない。ゆえに、上にいけばいくほど、行動の自由は制限されることになる。つまり、親切にしすぎてもいけないし憎んでもいけないし、何よりも絶対に憎悪に眼がくらんではならない。普通の人にとっての怒りっぽさは、権力者にとっては傲慢(ごうまん)になり残虐になるのである。

議員諸君、わたし自身は次のように考える。あらゆる刑罰は、その人の犯した罪に比べて低目に押さえらるべきである、と。しかし、多くの場合、これに気づくのは後になってからだ。人々は刑罰について論議するときは、罪とされることの本質を忘れ、刑罰そのものが重いか軽いかしか考えなくなる。

わたしは、器量に恵まれ価値ある人物であることでは周知のシラヌスが述べた意見が、国家への愛から生まれたものであることを疑わない。憎悪にも眼を曇らせることのない、客観的な立場での意見であることも疑わない。わたし自身も、彼の公正な性格をよく承知している。それでもなお、わたしには彼の意見が、残酷とは言わないまでも、哀れな者どもに対してどうすれば残酷になれるかだが、だから残酷とは言わないまでも、国家の法には違反しているのではないかと疑う。

もちろん、シラヌス次期執政官、国家に恐怖を与えたほどの大事への配慮が、あなたにあれほどの極刑を口にさせたのは知っている。とはいえこの場で、不安を討議するのは無意味である。現執政官の果断な処置のおかげで、もしも武装蜂起が起こったとしても、それへの対策はすでに完了しているのだから。

刑罰についての討議だが、わたしの考えるところでは、涙と不幸の中での死は、罰であるよりも救いであると言いたい。人間は、生きている間は死すべき運命をもつ者の味わうあらゆる悲惨を経験するが、死ねば、喜びもないかわりに苦もなくなる。

シラヌス、あなたはなぜ、はじめに鞭打(むちう)ちの刑に処すと提案しなかったのか。ポルキウス法が、ローマ市民にはそれを禁じているからか。それならば他の法では、ローマ市民権所有者に、もしもその人が追放を選ぶなら、死刑に処してはならないとも決めているではないか。そうではないとなると、鞭打ち刑は、死刑よりも重い刑と思ってか。

いかなる処罰が、大罪を犯した者に対して、より残酷でより重いのか。反対に、より軽いのか。そして、シラヌス、あなたのそれについての判断は、ローマの国法に照らして、妥当であるといえる理由はどこにあるのか。

とはいえシラヌス、あなたは言うだろう。この裁決は、国家への裏切者に対するものであることは確かだ、と。だが、民衆というものは常に、誰かに、機会に、時代に、運命に翻弄(ほんろう)されるものである。そして、その結果がどう出ようと、彼らはそれに値する存在でしかない。しかし、議員諸君、あなた方はそうではない。それゆえに今、例をつくれば、それが以後どのような影響をおよぼすかも考慮しなくてはならない。

どんなに悪い事例とされていることでも、それがはじめられたそもそもの動機は、善意によったものであった。だが、権力が、未熟で公正心に欠く人の手中に帰した場合には、良き動機も悪い結果につながるようになる。はじめのうちは罪あること明らかな人を処刑していたのが、段々と罪なき人まで犠牲者にするようになってくる。

スパルタ人は、アテネに勝ったとき、アテネ人に対し三十人の圧制者による政治を強要した。その三十人は、反体制側とされた人々を、裁判もなしに死刑に処した。アテネ市民はそれを見ながら、処刑された者たちは極刑に値したのだと言って歓迎した。ところが、三十人の圧制者たちによる処刑は、少しずつ増長し、罪なき人まで捕われ、裁判もなく処刑されるように変わる。恐怖が市中を満たし、市民たちは自分たちの浅はかさを、奴隷と化した現状でつぐなわされたのであった。

われわれの時代とて、この種の浅慮に無縁ではない。絶対権力をにぎったスッラが反対派を殺しはじめたとき、ローマ市民は、殺されたとて当然だと言い合ったではなかったか。しかし、これこそが、ローマ人の人心を荒廃させるはじまりになった。欲に眼がくらんだ人々が、邸宅を、いやそれどころか壺や衣服のようなものでさえわがものにしたいと思ったあげく、それらの持主の名を密告し、スッラの『処罰者名簿』を富ませたのだ。こうして、はじめのうちは他人事だと思っていた者が、翌日は『処罰者名簿』に自分の名を見出すことになった。そして、この現象は、スッラが自派の人々を富で埋めつくし終わって、ようやく鎮火したのである。

わたしは、嚆矢を放つ人が、今回のように執政官キケロであれば心配しない。だが、大都市には、多くの異なる性格の人が住んでいる。別の機会に、別の執政官が、偽りの陰謀でも真実と思いこみ、手にする権力を乱用したらどうなるのか。今回が先例となれば、先例があるからといって執政官が、そして『元老院最終勧告』が剣を抜き放った場合、誰が限界を気づかせ、誰が暴走を止めるのか。

元老院議員諸君、われわれの祖先は、勇敢でありつつも分別は忘れなかった。彼らは、良しとするものならば他国人から学ぶことを妨げるような、傲慢さはもっていなかった。サムニウム族からは、攻撃防御双方の武器を導入し、エトルリア人からは、官職の表章を導入した。つまり、同盟者であろうと敵対民族であろうと、良きものと見れば迷わず導入したのだ。拒絶するよりも、模倣するほうを選んだのだった。

共和国創立当初は、ギリシア人のやり方を踏襲して鞭打ち刑を多用し、死刑の大盤振舞いをした。しかし、国家が強大になるにつれて市民たちの発言力も増し、また、このやり方が無実の者にまで波及する危険性を考慮した結果、『ポルキウス法』が成立し、罪人といえども自主亡命の道が開かれることになったのである。議員諸君、わたしはこの考え方にこそ、緊急措置を採用することへの反対の論拠を置きたい。われらが祖先がもっていた知恵と徳によって、小国家だったローマも現在の大帝国にまで成長したのだ。彼らに比べて今日のわれわれが手中にしているのは強大なる権力であり、それを使うにはより一層の思慮が求められても当然である。

そこで結論だが、後々への影響を心配して、罪人を釈放するか。とんでもない、それではカティリーナとその一味を増長させるだけになる。ゆえに、以下がわたしの提案である。五人の資産を没収し、彼らを一人ずつ別々の地方都市に預け、監禁してもらう。そして、以後彼らには元老院でも市民集会でも発言を許さない。もしもこれらのことに違反すれば、その者は今度こそ国家の敵として糾弾され、それにふさわしい刑に処される」

このカエサルの演説で、即、死刑で固まっていた元老院の空気は動揺した。まず、次期執政官のシラヌスが、前言を撤回する。カエサルの提案に傾いた議員の中には、キケロの弟もいた。まぎれもない「元老院派」と目されていた保守派のクラウディウス・ネロでさえ、裁決を他日に延期してはどうかと言った。議長役の執政官キケロの動揺は、端目(はため)にも明らかだった。なにしろ、いまだクーデターは起こっていないのである。だが、これを見た小カトーが発言を求める。三十二歳の「元老院派」の論客は、語気鋭く、カエサルへの反論をはじめた。

「元老院議員諸君、わたしの考えは、カエサルとはまったくちがう。われわれが今解決を迫られている問題は、重大問題である。そのことを、カエサルと彼に同調する人々は、まったく理解していない。これらの人々は、五人の問われた罪が国家に、両親に、神殿に、家々のかまどに戦いを仕かけたものであることを忘れている。議論する場合でも優先さるべきは、この大罪をどう予防するかであって、罰をどうするかではない。

しかも、他の罪ならば、それが犯されてはじめて処罰さるべきだが、この場合はちがう。犯されるのを防ぐことが優先する以上、いまだ実害がなくとも裁かれてしかるべきだ。不死の神々に誓ってあなた方に訴えたい。あなた方の心は、正直言って国家の利益よりも、あなた方所有の邸宅、別荘、彫像、絵画のほうが占めてきたのだ。もしもこれらの物品を、あなた方があれほども執着しているこれらの品々を平和裡に享受したいと思うならば、国家の行方にも少しは配慮すべきである。物品税や特別税のことを、わたしは話題にしているのではない。わたしがあなた方の注意を喚起しようとしているのは、われわれの自由についてであり、われわれの生活そのものが秤にかけられていると言いたいのだ。……

わたしは、誤ったことをしようと考えること自体がすでに、処罰の対象になりうると考える。……なにしろ、諸君、ここで問題にされているのは、われらが祖国の偉大さでもなく祖先の賢明さでもなく、われわれが現に所有している物品が、われわれの手許に残るか、それとも敵の手に落ちるかなのだ。それなのに、ある人物は、寛容や慈悲を説くのだからあきれる。まったく、ここしばらくわれわれは、言葉の真の意味を忘れて使っているようである。他人の所有物を浪費することを自由と呼び、悪事を企てることを勇気と呼ぶ。ところがこの傾向によって、共和国は破滅の瀬戸際に立たされているのだ。もしも、他人の所有物を浪費する者を自由人として賞め讃え、税金を横取りする者に対して寛容であるのがわれわれの伝統であると言いたいならば言うがよい。だが、われわれの血に関する場合でも、そうあれと言うのは許せない。少数の悪党を許すことで、大多数の善人を破滅に追いやるのまでは許せない。

巧みな論法で、少し前にカエサルは、生と死について論じた。わたしの受けとったのでは、死後を重視し、暗闇でわびしく粗暴で世にも怖ろしい世界における、善人と悪人の異なる運命を述べたかったようである。そして、彼は、悪人どもの資産を没収し彼らを地方自治体に監禁するよう提案した。明らかに彼は、悪人どもをローマに留めておいては、彼らと陰謀加担者たち、ないしは買収されやすい下層民との間を断ち切ることはできないと判断したからだろう。カエサルはまるで、無謀な人間は首都にだけいて、イタリア各地にはいないとでも考えているようであり、防御の不充分な地にはもともと、無謀は生まれないとでも考えているようである。……

しかし、カエサルの考えは、防御の見地からすれば不充分であることは確かだ。諸君、あなた方が裁決を下すのは、レントゥルス以下の数人についてではない。カティリーナとその一味全体に対して裁決を下すのである。そして、忘れてはならないことは、確固たる信念でことに当れば相手方の対応は弱くなるということであり、反対にびくつきながら行動すれば、相手は勢いづいて強硬に出てくるということである。

……

われわれの祖先の時代、マンリウス・トルクワートゥスは実の息子を処罰した。総司令官であった父の命令に反してまで、攻撃を強行したからである。気品ある青年は、自らの過ぎた勇気を死でつぐなった。

それなのにあなた方は、マンリウスの息子とは比べようもないほどに品格の劣った者どもの処罰でさえ迷っている。……そうしている間にもわれわれは、四辺をとり囲まれてしまった。カティリーナとその軍はわれわれの首を締めあげ、他の者は市内にいて陰謀をめぐらし、しかも、それを公然とやっている。対応は、早急に成されねばならないのが現状だ。

そこで、わたしは提案する。悪党どもの謀略によって国家が危機に瀕しているのは、またそれによって虐殺や焼き打ちによる国家と市民に対する残酷な計略が策られたことは、もはや物的証拠と自白が証明している以上、誰かが言う甘き死を与えるに、充分に値すると信ずる。つまり、彼らに死を、われわれの祖先の行為に忠実であるためにも、彼らに死を！」

小カトーの熱弁によって、元老院議員たちの心中はまたも動揺した。議員たちの多くは、小カトーを、毅然としていると賞讃した。票決の前の最終弁論は執政官キケロの役目だったが、彼の弁論にも動揺が明らかに読みとれる。カエサルの持ち出した「センプローニウス法」、ローマ市民は裁判なく、また控訴権なく死刑にはできないとした法に対しても、反ローマに起った者でさえローマ市民と認めねばならないのか、という論法で切り抜けようとしているくらいだから、法の人キケロも動揺したのである。だが、そのキケロに決断させたのは、野心ではなく虚栄だった。スキピオ・アフリカヌスやマリウスやポンペイウスは、外敵に対して甲冑をまとって祖国を守り抜いたが、シビリアンである自分は、トーガ姿で守り抜くという虚栄心である。長文の彼の最終弁論の最後の部分のみ訳す。

「すべてを犠牲にして、共和国を防衛することのみ考えて行うわたしの行為の代償として、わたしはあなた方に一つだけ頼みがある。今日というこの日の記憶を、わたしが執政官を務めたこの年の記憶を留めておいて欲しいと願う。あなた方が記憶に留めている間、わたしは堅固な城壁によって守られていると信ずることができるのだ。しかし、もしも悪人がわたしの望みを断つようにでもなったら、わたしの息子をあなた方の保護に託したい。もしもあなた方が、この若者こそは、自身を犠牲にして国家を守りあなた方を危険から救い出した人の息子だと思い出せば、彼の身の安全と出世も確かなものになるだろう。

さて、今こそあなた方は、この討論をはじめたときと同じ真剣さと毅然とした態度で、自らを表明するときである。問題はあくまでも、ローマ人とあなた方の妻と子たちの安全がかかっていることであり、都市の、家々の、神殿の、つまりローマ共和国全体の運命がかかっていることであるのを忘れてはならない。あなた方は、あなた方の決定を実行に移すのに迷わない、わたしという執政官をもっている。そして、その執政官は、生きているかぎり国益を守るという責任をまっとうするであろう」

紀元前六三年十二月五日の元老院会議は、圧倒的な多数を得て、五人の死刑を決定した。執政官キケロには、「元老院最終勧告」を実施する権限が確認されたことになる。凱旋(がいせん)将軍のように人々の歓呼を浴びて議場を出たキケロや小カトーだったが、カエサルはそうはいかなかった。議場を出たとたんに彼は、待ち受けていた人々から袋だたきにあったのである。急いで駆けつけた友人たちが救い出さなかったならば、なぐり殺しにされていたところだった。この十三年後にカエサルがルビコン川を越えたとき、「元老院派」はくやしがったものである。あのときに殺しておけばよかった、と。

その夜、自ら処刑人の先頭に立って牢(ろう)に向ったキケロの命令で、レントゥルス以下のカティリーナ一味の五人は処刑された。裁判もなく、控訴権も認められない死刑だった。

キケロは、十二月末日で切れる執政官の任期の最後を、「国家の父」とまで讃えられる名声と賞讃を浴びて過ごす。一方、カエサルは、袋だたきにあわないために、私邸にこもって外にも出ないで過ごした。

同志五人が死刑になったのを知っても行動を起こさなかったカティリーナだが、キケロは「元老院最終勧告」を実行に移している。ということは反国家の暴徒とされたわけで、そのカティリーナに対しては、南からはキケロの同僚執政官のアントニウスの率いる二個軍団、北からはメテルス率いる三個軍団が向っていた。この、合計三万の鎮圧軍に対し、カティリーナの許に集結したのは一万二千。しかも、その大部分は奴隷や貧民たちで、武器もなければ武装もつけていなかった。カティリーナは、彼らを故郷に帰したようである。そのカティリーナと死までともにするつもりで残ったのは、三千もいたであろうか。少なくともこの三千には、武器と武装は与えることはできた。

カティリーナが、この三千の同志を率いて何をするつもりであったのか、どこへ行くつもりであったのかは知られていない。彼らの全員が討死したので、証言できる人がいなくなってしまったからである。だが、フィレンツェ近くからアルノ河にそってピストイアまで移動しているから、アルプスを越えてガリアにでも逃げて行くつもりであったのかもしれない。いずれにしても、ピストイアまで行ったところで、ローマの正規軍団に囲まれた。

激戦だったが、時間的には早く終わった戦闘だった。自ら敵陣に斬(き)りこんだカティリーナ以下、三千の全員が討死した。捕虜になった者は、一人もいなかった。背を斬りつけられた者もいなかった。全員が、胸や顔を刺されて死んでいた。紀元前六二年の一月末であったといわれる。これが、「カティリーナの陰謀」の結末であった。キケロは、四回におよんだカティリーナ弾劾の弁論を、親友アッティクスの経営する〝出版社〟から刊行した。彼にすれば、シビリアンがミリタリーに勝利した、記念碑のつもりであったろう。だが、キケロはまた、言論は形にして遺す必要を知っていた、当時では数少ないローマ人の一人でもあった。

「偉大なるポンペイウス」

紀元前六二年という年は、ローマ人にとって、難問はすべて解決した平和な年になるはずであった。実際、首都ローマもイタリア全土も、表面的には人々は平和で活潑な日常を営んでいた。だが、水面下までが穏やかになったわけではなかったのである。「カティリーナの陰謀」を未然に防いだ「元老院派」は勝利を謳歌していたが、今度は、東方での難問をすべて解決して帰国する、ポンペイウスの動向が心配になってくる。また、カティリーナとその一味に対し、当初はキケロを先頭にした「元老院派」の強行策に拍手喝采した一般市民だが、五人が死刑にされカティリーナとその一味三千人が全員討死した後では、あそこまでやる必要はあったのか、と後悔しはじめていた。この年二十四歳であったサルスティウスは、後年、歴史叙述の傑作とされる『カティリーナの陰謀』を書くが、彼もそう考えた一人であったのだ。この年、三十八歳で法務官(プラエトル)に就任していたカエサルは、人心のこの流れを活用する。

と言っても法務官は、「スッラの改革」以来増員されて八人が定員だ。八人の一人になっただけだから、活用するといっても知れていた。しかし、勝利に酔うキケロと「元老院派」に、ゆさぶりをかけることぐらいはできたのである。

法務官カエサルは、「元老院派」の長老で元老院の「第一人者(プリンチェプス)」の地位を占めて久しいカトゥルスが、高齢もあって元老院にも欠席しがちであったのを、職務怠慢の理由で更迭(こうてつ)し、代わりにポンペイウスを任命するよう市民集会に提案した。「元老院派」はこれに硬化する。カトゥルスの更迭よりも、今や勝利に意気あがっている軍団とそれに拍手喝采を惜しまない市民の人気を背にしたポンペイウスに、元老院の第一人者という権威まで与えることを危険視したからであった。

とはいえ、これに下手に反対したのでは、市民運動すら起こりかねなかった。それで、元老院主導の集団指導制を堅持したい「元老院派」は、これまでの政策を転換してでも、人気取り政策とされてもしかたのない法を成立させるしかなくなった。小カトーの提案が、市民集会にかけられる。「小麦法」によって市価よりは低額で小麦を配給される特権をもつ人の数が限定されていたのを、廃止して数の限定なしにするという提案だった。これを、下層市民が喜ばないはずはない。しかし、この法の成立によって、これまでは三万人前後であった給付資格者が、十倍の三十万人台にまで増えてしまった。これに要する費用は、年に七百五十万デナリウスにもなる。国庫の赤字は必至だったが、健全財政を金科玉条としてきた「元老院派」でも、背に腹は代えられない想いであったのだろう。だが、そのうちにも、オリエントを平定し、実質的にも地中海沿岸一帯をローマの覇権下に収めたポンペイウスが、まるでアレクサンダー大王の生まれ代わりでもあるかのように、華麗な凱旋行をゆっくりと西に向けていた。

小アジア西岸の都市エフェソスで、ポンペイウスはまず、紀元前六七年の海賊一掃作戦からはじまりその後の東方制圧行にも従軍した部下の兵士たち全員に、五年間の軍務のボーナスとして、定給以外に次の金額を支給した。

兵士一人につき、六千セステルティウス。百人隊長には、十二万。大隊長には、百万。会計検査官には、五百万。軍団長には、一千八百万。

これほどの大盤振舞いは、ローマ史では前代未聞のことであった。当時の地中海世界では、東方のほうが西方に比べて、いかに豊かであったかの証明でもある。国家ローマの歳入も、ポンペイウスによる東方一帯の属州化で、一挙に二倍になった。これでは一般市民の眼に、四十三歳のポンペイウスの像がいやがうえにも大きく映るようになるのも当然である。そのうえ、ポンペイウスは、レスボス島に立ち寄れば詩のシンポジウムに列席し、ロードス島では、哲学者たちに囲まれ、アテネでは、野外劇場の修復費用にと多額な金をポンと寄付したりしたので、彼の帰途は讃嘆と栄誉で飾られることにもなった。

これは、国家ローマにとっては、喜ばしいこと以外の何ものでもないはずであった。しかし、「元老院派」にとっては、心配は大きくなる一方であったのだ。早熟の天才ポンペイウスは、いまだ四十三歳でしかないにかかわらず、凱旋式も執政官もすでに経験ずみだった。しかも、五年間という長期にわたって、海賊退治からはじまった東方制圧軍の総司令官という大権を持ちつづけた人物である。この男が、それも四十代という壮年期に入ったばかりの男が次に何を求めてくるかが、「元老院派」には不安の種であったのだ。

イタリア半島の南端のブリンディシに上陸した後、ポンペイウスは、「スッラの改革」で決まったことに忠実に、従える軍団を解散するであろうか。それとも、「スッラの改革」には違反する特例ばかり認められて出世してきたポンペイウスのことだ。

今度もスッラの法は無視して、二十年前にスッラが敢行したのと同じに、軍を率いて首都ローマに進軍し、独裁政を布くであろうか。もしもポンペイウスさえその気になれば、彼には、紀元前六三年の段階で軍事クーデターを敢行できるすべての条件が整っていた。それを知っているから、一人の台頭を許さない集団指導制の堅持をモットーとする「元老院派」は、ポンペイウスの帰国を、喜びよりも不安で待ったのである。だが、ポンペイウスが帰国する前に、元老院議員たちの、いやローマ全市民の注意を、ポンペイウスから一時的にしても離してしまう事件が起こったのであった。

スキャンダル

紀元前三一二年にアッピア街道を敷設し、インフラストラクチャーとしてのローマ街道を最初に意味づけた人アッピウスを出したクラウディウス一門は、ローマの名門貴族の中でも群を抜いた名門とされてきた。一時代だけならば、スキピオ・アフリカヌスを出したコルネリウス一門やファビウス・マクシムスを出したファビウス一門、また共和政初期からのヴァレリウス一門やエミリウス一門が名を馳せた例はあるが、クラウディウス一門となると、ローマ史に出ずっぱりという感じで、彼らの名が指導層に連ならない時代はない。クラウディウスといえば、極めつきの名門貴族なのである。この一門に属すプルクルス家の当主が、プブリウス・クラウディウス・プルクルスという三十三歳になる男だった。この男が、キンナの娘コルネリアが死んだ後にカエサルが後妻に迎えたポンペイアに横恋慕したがゆえに起こった事件、ということになっている。

毎年十二月が近づくと、執政官や法務官などの国家の要職にある人の家では、女たちが女神ボナを祭る祝祭の準備をはじめる。十二月一日の夜に祝われるそれは、出産を司る女神に捧げられていることもあって、祭祀に参加するのは女にかぎられる。男は、たとえその家の当主でも厳しく禁じられており、祭祀の行われる家では、奴隷までふくめた男たちは、その夜だけは他家にでも客に招ばれるしかなかった。

法務官に就任していたカエサルの家でも、ボナ女神祭は、母アウレリアの指揮のもとに妻のポンペイアはもちろんのこと、ローマの上流の夫人たちまで集まってはじまっていた。そこに、女装したクラウディウスが忍びこんだのである。

祭祀中とて、家の中はうす暗い。迷った若者は、通りかかったカエサル家の女奴隷の注意を引いてしまった。しかも女奴隷は、家の中をウロウロしているのが、女装した男であるのにも気づいてしまった。

変事を告げられたアウレリアは、ただちに祭祀を中止し、女奴隷たちに命じて不審な人物を追い出させた。顔を見ただけでアウレリアには、それが誰かがわかったのである。だから、夜警に突き出さずに追い出したのだ。しかし、アウレリアは口を閉ざしても、祭祀に参加していた他家の女たちは、大騒ぎする女奴隷の口から侵入者の名を知った。そして、帰宅したときに夫たちに告げた。

これはもう、スキャンダルだった。まずもって、男厳禁の祭祀の行われている家に男が侵入したということだけでも、神への冒瀆（ぼうとく）になる。そのうえ侵入先も、単なる高官の家ではない。その年のカエサルは法務官の職にあったが、一年前から最高神祇官の地位も占めていた。神への冒瀆行為は、ローマ宗教界の最高責任者の公邸で成されたのである。単なる醜聞を越えて、これは最高神祇官の職務怠慢にもなると、反カエサル派は色めき立った。また、この事件は、カエサルにとっては同僚にあたる元老院議員だけでなく、一般の市民の興味まで刺激した。これまでずっと他人の妻ばかりを寝取ってきた男が、今度はじめて寝取られた（らしい）ことで、皆々おおいに愉（たの）しんだのである。カエサルは、妻を離婚した。

反カエサル派の面々が、捨て置けることではないと言い出したので、女装して侵入した名門貴族の若者は、法廷に引き出された。ところが、証言を求められたアウレリアは、何分暗い場所だったので侵入者が誰であったのかはわからない、と答える。カエサル家の女奴隷たちも、まったく同じ内容の証言をくり返すだけだった。

証言は、カエサルも求められた。カエサルは、自分はあの夜他の場所にいたので、証言できることは何もない、と答えた。検事役の法務官は、それならばなぜ、妻のポンペイアを離婚したのか、と問いつめた。それに対してカエサルは、次のように答えた。

「カエサルの妻たる者は、疑われることさえもあってはならない」

これには皆、黙ってしまった。この後は誰も、カエサルに証言を求めようとはしなかった。

私ならば笑いながら、よくまあいけしゃあしゃあと言いますね、自分はさんざん勝手なことをしてきたくせに、とでも言うところだが、元老院のお偉方たちさえ黙ってしまった理由は、想像できなくもない。上層になればなるほどローマの女は、財産権なども認められていたうえに政略結婚も普通であったことからも強かった。それで、世界の覇者になったはずのローマの指導層にも、相当に高い確率で恐妻家が多かったのである。ハンニバル時代の人であった大カトーも、元老院議員を前にしての演説でこう言って笑わせたものだった。「世界の覇者になったはずの諸君の上に、もう一つ女房という覇者がいる」。というわけで彼らも、カエサルに、彼ら自身も一度は妻に向って言ってやりたいと思っていたことを、言われた想いになったのではあるまいか。いずれにしてもカエサルは、右の一句で、最高神祇官解任につながるかもしれなかった危機を切り抜けられそうであった。クラウディウスが、証拠不充分で無罪になる気配が濃厚になっていたからだ。だが、キケロが乗り出してきたために状況が変わる。

被告側の弁護は、あの夜の被告はローマから百キロもへだたった地にある別荘にいたとするクラウディウス家の奴隷の証言に立脚していた。それをキケロが、あの日の朝、クラウディウスはキケロの家を訪問していたと証言したのである。半日で百キロは踏破できない。奴隷の証言を信じるか、それとも前執政官の証言を信じるかの二者択一を迫られた陪審員たちは、アリバイは崩れたとする方向に傾いた。ここで、クラッススが動く。ローマ一の金持で経済界の代表格であるクラッススは、経済上の利権をちらつかせることで陪審員たちを買収したのだった。史家の多くは、クラウディウスを救い出すためであったとするが、私には、救い出す対象は、後に述べる理由によってカエサルのほうであったと思えてならない。いずれにしても、裁決は、有罪二十五票、証拠不充分による無罪三十一票で、名門貴族の若者は放免になった。このとき以降、クラウディウスはキケロに、深く復讐を誓うことになる。

スキャンダルから脱出できたカエサルには、前法務官の資格で、属州統治が待っていた。紀元前六一年の一年間を、任地と決められたスペイン南部で属州総督を務めるのである。「遠スペイン」と呼ばれたスペイン南部の勤務は、カエサルはすでに会計検査官として経験ずみだ。だが今度は、二個軍団以上の指揮権を認められた「絶対指揮権」を与えられての就任だった。三十九歳にしてようやくユリウス・カエサルも、ローマ政界の「陽の当る道」に歩み出したことになる。ポンペイウスのような、若い頃からの異例つづきの昇進とは縁のなかった彼のことだ。属州統治を経験してはじめて、凱旋式にも執政官にも、手がとどく距離に達したということであった。

ところが、勇躍スペインに向うはずだったカエサルが、家からさえ出られない状態になる。債権者たちが押しかけ、借金を返さないかぎり出発させないと言って坐りこみをはじめたからだった。債権者たちの言い分も、わからないではない。なにしろカエサルが貯めこんだ借金は、この頃ともなると天文学的な数字に達していた。借金を苦にする生まじめな性格のカティリーナだったら、クーデターを百回も起こさねばな

上流婦人の服装

らなかったろう。だが、カエサルにはクラッススがいた。最大の債権者こそクラッススであったというのが史家たちの定説だが、クラッススは、自分の債権の返済を延期しただけでなく、他の債権の返済保証人まで引き受けた。ローマ一の金持でローマ経済界を代表するクラッススが保証したので、債権者たちも引きあげたのである。属州総督閣下カエサルも、これでようやく任地に出発することができたのであった。

このあたりで、古代から現代に至るまでの二千年以上もの間、史家や研究者たちの必死の努力にもかかわらず謎が解けないでいる二つのことについて、考察をめぐらせてみるのも一興かと思う。それは、ユリウス・カエサルにとっての女と金についてである。この二つにどう対処したかは、当の人物の器量を計る計器でもあると思う。それゆえに、スキャンダルの火種になるのも常に女と金になるのだろう。

カエサルと女

古今の史家や研究者の著作を読んでいて微笑させられるのは、彼らがいちようにカエサルに魅了されてしまうところである。キリスト教史観に立つ人でも、カエサルを悪く言うことはできない。キリストは、彼の後に現われた人である。また、マルクス史観をとる人でも、カエサルの圧倒的存在感の前には、下部構造が上部構造を決定する、などとも言ってはいられないようである。共産主義国家東ドイツの作家ブレヒトの描くカエサル像は、あれでカエサルの全生涯を書かれていたら筆を起こすこともできなかった、と私に思わせたほど活き活きしている。だがこれらの人々の魅了の理由を、私は列記しない。カエサルの全体像は、彼の「諸言行(レス・ジェスタエ)」をていねいに追っていくことでしかつかめないと思っているからだ。要約してわかる男ではないのである。だが、一つだけは言おう。それは、古今の史家も研究者も作家も絶対に白状していないことでもあるのだが、彼らの書く行間にどうしたってにじみ出てしまう一事だからである。つまり、カエサルはなぜあれほども女にモテ、しかもその女たちの誰一人からも恨まれなかったのか、ということである。

古代ローマの美男の評価基準は、食べたいくらいと評された若い頃のポンペイウスや、たぐいまれな美貌とうたわれた初代皇帝アウグストゥスや、ハドリアヌス帝が寵愛したアンティノーの像にも見られるように、女であってもおかしくないほどに整った容貌に置かれていたようである。ギリシア彫刻の影響と思う。この基準では、カエサルは絶対に美男ではない。若い頃から頰にはたてじわが深くきざまれていたし、四十代後半からははえぎわの後退いちじるしく、中頭部の頭髪までひたいに向けて流したりして、禿げあがる一方のひたいを隠すのに苦労していたことは知られている。また、世界が彼を中心にまわりはじめる以前、つまり四十代までの彼は、借金づけなのだから裕福であるわけがなく、女の虚栄心が満足するほどの権力の持主でもなかった。それでいて、女という女にモテたのである。

痩せ型で背が高く立居振舞いの争えない品格、と多くの史家が書いているから、姿美男ではあったろう。だが、姿美男に顔まで美しい男は、当時のローマにはゴマンといた。話は興味深く面白かった男であるのは、彼の著作の各所に見られる教養と皮肉とユーモアの絶妙な配合で想像はつく。しかし、自画自讃の性癖さえ我慢すれば、キケロだって興味深く面白い話相手であったのだ。

しかし、カエサルだけが、ある作家の言を借用すると、列をつくって自分の順番がくるのを待つかのように、上流夫人を総なめにする栄誉に輝いたのである。記録に残る名をあげるだけでもこの豪華さだ。クラッススの妻テウトリア。カエサルにとっては金を貸してくれる第一の人であった、クラッススの妻テウトリア。オリエントで戦争を指揮している将軍の留守宅を守らねばならないはずの、ポンペイウス夫人のムチア。ポンペイウスの副将だから同じく出征中の、ガビニウスの妻のロリア。これはいくらなんでも非現実的と思うが、元老院議員の三分の一が、カエサルに〝寝取られた〟という史家もいる。そして、カエサルの愛人たちの中でも最も有名なのは、後年のクレオパトラを別にすれば、セルヴィーリアであろう。後にカエサル暗殺の首謀者になるブルータスの母セルヴィーリアは、再婚話を断わってまで、カエサルの愛人でいるほうを選んだ女であった。

これらの女たちは、いずれもローマの上流社会に属する。言ってみれば、美容院やブティックで始終顔を合わせる仲である。それなのに、嫉妬(しっと)もなくつかみ合いもなく、列をつくって自分の順番がくるのを待つかのように、おとなしく次々と愛人になったのだから愉快だ。情報だって、たちまち伝わる仲であったろうに。

ただし、女であれば誰でもよかった、というわけではないようである。当時のローマ社交界では最も華やかな存在であった、クローディアには一指もふれていない。

クローディアとは、ボナ女神の祭りの夜にカエサル邸に女装して侵入した、クラウディウスの妹である。極めつきのローマ名門の出身に加え、すらりとした身体つきに教養も高く、ルクルスと離婚すればただちにメテルスと再婚するという具合で、元老院の有力者を次々と夫にする一方、詩人カトゥルスの詩のヒロイン、レスビアのモデルと目された女でもある。ソクラテス時代のアテネの女とちがって宴席にも同席できたローマの女たちだが、そこで踊ることは踊り子の仕事で、上流夫人のやることではないとされていた。クローディアとは、そんなことは無視して巧みに踊って、たちまちローマ中の噂になるという女である。紀元前一世紀のローマのフェミニスト、と評する研究者もいる。

彼女はまた、何によらず有名な男が好みだった。「カティリーナの陰謀」で名声確立した観のあるキケロにまで色目を使い、キケロのほうもまんざらでない気分になったこともある。ローマの〝ダンディ〟カエサルが、この彼女の視野に入らないはずはなかった。しかし、カエサルは、この女とは人並の付き合いはしても愛人にはしていない。生き方の騒々しい女は、彼の好みではなかったのかもしれない。実際、クローディアはこの十年後、若い愛人が去ったのに怒り、金の横領と毒殺を謀ったとして訴えている。このときの裁判で弁護役に立ち、クローディアの振舞いを笑いのめすことで勝訴を勝ちとったのがキケロだった。この一事からも、カエサルの女遍歴は、誰とでもというわけではなく選んだ相手が対象であり、それも彼が強烈に求めたがゆえの成功ではないかと思う。男から強烈に求められれば、女らしい女ならば落城する。しかもカエサルは、女が相手でもなかなかに悪賢かった。妻を離縁して自分と結婚してくれと言う怖れのある、未婚の娘には手を出していない。彼が相手にしたのはいずれも、有夫か結婚歴のある女にかぎられていたのである。

いずれにしても、やたらと女たちにモテたことだけは確かなカエサルだが、女にモテたということだけなら、史家も研究者も、羨望(せんぼう)までは感じないのではないか。モテるだけならば、剣闘士だって俳優だってモテたのだから。立派な男までが羨望を感ずるのは、それでいてカエサルが、女たちの誰一人からも恨まれなかった、という一事ではないか。モテることも男の理想だが、モテた女から恨みを買わないという一事にいたっては、それこそすべての男が心中秘(ひそ)かにいだいている、願望ではないかと思う。

なぜなら、一人前の男なら、自分からは醜聞を求めない。だから醜聞は、女が怒ったときに生まれる。では、なぜ女は怒るのか。怒るのは、傷ついたからである。それならどういう場合だと、女は傷つくのか。

前記のクローディアが原告になりキケロが弁護側にまわった「カエリウス裁判」でのキケロの弁論を読むとよくわかるのだが、女が醜聞もいとわないくらいに怒るのは、みついだ男が無情に縁を切ったあげく寄りつきもしなくなったからである。だが、女の心理も知らないカエリウスなどとは、カエサルはちがった。

まず第一に、愛する女を豪華な贈物攻めにしたのはカエサルのほうである。これも彼の莫大な借金の理由になったのだが、借金が増えるから贈物などしなくてもよいなどと言うのは妻であって、それ以外の女ならば例外なく愛しいと感ずる。そして、誇らしいと思う。カエサルがセルヴィーリアに贈った六百万セステルティウスもの真珠は、ひとしきり首都の女たちの話題を独占したものであった。もしも事実なら、パラティーノの丘の上の豪邸が二つ買える額である。

そして第二だが、カエサルは愛人の存在を誰にも隠さなかった。彼の愛人は公然の秘密だった。いや、女の夫まで知っていたのだから、秘密でさえもない。オリエントで戦争中のポンペイウスもガビニウスも、自分たちの妻の浮気を知っていた。これでは、スキャンダルにもならない。公然ならば、女は愛人であっても不満に思わないからである。

また、理由の第三は、史実によるかぎり、どうやらカエサルは、次々とモノにした女たちの誰一人とも、決定的には切らなかったのではないかと思われる。つまり、関係を清算しなかったのではないかと。

二十年もの間公然の愛人であったセルヴィーリアには、愛人関係が切れた後でもカエサルは、彼女の願いならば何でもかなうよう努めた。彼女の息子のブルータスがポンペイウス側に立って自分に剣を向けた際も、戦闘終了後のブルータスの安否を心配し、生きていたとわかるやただちに母親に伝えさせている。また、公然の愛人がクレオパトラになった後でも、セルヴィーリアの生活に支障がないよう、国有地を安く払い下げるなどという、公人ならばやってはいけないことまでやっている。これを、息子のブルータスがどう感じていたかは、別の問題であるにしても。

また、他の女たちとだって、決定的に切らないことでは同じだったのではないか。例えば、妻同伴のカエサルが、夜会の席か何かで以前の愛人と顔を合わせたとする。同じ階級に属しているのだから、出会う確率も高かったはずである。そのような場合、並の出来の男であれば、困ったと思うあまり、意に反して知らん顔で通り過ぎたりする。ところがカエサルだと、そうはしない。妻には、少し待ってとか言い、どうなることやらと衆人が見守る中を堂々と以前の愛人に近づき、その手をやさしく取って問いかける。「どう、変わりない？」とか。女は、無視されるのが何よりも傷つくのだ。

愛人はそれでよいかもしれないが、妻のほうはどうなるのか、と問う人がいるかもしれない。だが、これとてたいした変わりはない。贈物で差をつけられるわけではなく、また、正妻ともなれば公の立場だ。それに、帰宅後に妻に、その日の元老院会議でのキケロの大仰な演説などを面白おかしく話してくれたりしたら、無視されたと怒ることもできない。重ねて言うが、女が何よりも傷つくのは、男に無下にされた場合である。

イタリアのある作家によれば、「女にモテただけでなく、その女たちから一度も恨みをもたれなかったという希有な才能の持主」であったカエサルの、以上が私なりの推察である。そして、女と大衆は、この点ではまったく同じだ。人間の心理をどう洞察するかに、性別も数も関係ないからである。

カエサルとお金

古今の史家や研究者たちにとっていまだに謎であるもう一つのことは、カエサルがなぜあれほども莫大な額の借金をしたのかよりも、なぜあれほども莫大な額の借金ができたのか、である。

本題に入る前に確認しておかねばならないことがある。それは、どの記録どの史書を見ても、あれほども莫大な借金があったカエサルなのに、担保として取られてもしかたないはずのスブッラの私邸やラビコの山荘がまったく取られていないという史実だ。当時のローマの上流社会の経済規模からすればとるに足らない不動産だが、それでもなお抵当物件になっていなかったと考えるしかない。家庭婦人の鑑と言われた母アウレリアの育て方を反映してか、家庭内でのカエサルは実に堅実な暮らしぶりであったということだが、借金も、古代でも、家庭内には持ちこまない方針であったのか。だが抵当物件なしの借金となると、高利貸しに頼るか、それとも特別な関係を通すしかない。「特別な関係」というのが、カエサルにとっては、クラッススであったように思う。

なぜカエサルが女という女からモテ、モテただけでなく恨みを買わなかったのかの解明が、男性独占と言ってもよいのが現状の史家や研究者の考察を追っていてはできず、女の立場に立ってはじめて可能になったのに似て、なぜ権力もなかった時期のカエサルにあれほども多額の借金が可能であったかの考察も、地方の裕福な知識人プルタルコスや、研究費も大学が負担してくれる現代の研究者等のまじめな考察の範囲に留まっているかぎり、推理も解明も不可能ではないかと思う。つまり、債権者と債務者の関係も、両者の心理にまで入りこんで考えをめぐらせてみる必要があるのではないか。

カエサルにとっての最大の債権者は、マルクス・リキニウス・クラッススであった。彼自身の債権に加え他の債権者にも返済保証を与えたくらいだから、ほとんど唯一の大型債権者と言ってよい。カエサルよりは十四歳年上のクラッススは、すでに父の代からローマ一の金持だったが、彼の代にはそれが国家予算の半ばもの数字に達する。どうやってそれを可能にしたかは、第Ⅲ巻『勝者の混迷』の二二〇頁（文庫版第7巻一三〇頁）に述べたとおりだが、処刑者の没収資産を競売でたたき値でせり落としたり、火事で焼け落ちる寸前の家をこれまたたたき値で買ったりして資産を増やした人間は、つまり、金を経済的にしか考えない人間は、金というものに対してどういう想いをもつものであろうか。この点を、カエサルは突いたのだと思う。借金が少額のうちは債権者が強者で債務者は弱者だが、額が増大するやこの関係は逆転するという点を、カエサルは突いたのであった。

借金が少額であるうちは、それは単なる借金に過ぎず、債務者にとっての保証にはならない。だが、借金が増大すれば事情は変わってくる。多額の借金をもつことは、もはや「保証」を獲得したことと同じになる。多額の借金は、債務者にとっての悩みの種であるよりも、債権者にとっての悩みの種になるからである。不良債権として忘れ去るには、あまりにも多額すぎるからだ。ために債務者が破滅しないように全力をあげて努めるのは、今度は債権者のほうになってくる。属州総督としてスペインに発たねばならないカエサルが借金取りに押しかけられて発つこともできなくなっていたのを、返済保証をすることで発てるようにしたのは、他でもないクラッススである。そして、この後も、意に反しはしても結局はカエサルの出世に手を貸すことになるのは、いつもクラッススなのであった。ただし、クラッススのような債権者にとって幸いであったのは、古代のローマでもやはり、カエサルのような債務者はあくまでも少数派であり、多数派は、カティリーナのように生まじめで、借金は身を滅ぼすと信じて悩む人々であったことだろう。

現代の研究者の中には、この時代のカエサルはクラッススにあやつられていた、なぜなら、借金で首もまわらない状態にあったからだ、とする人が少なくない。だが、私は、それに確信をもって、否と言える。行動の自由をもっていたのは、クラッススよりもカエサルのほうであったとして。証拠も示せるのだ。カエサル自らが、『内乱記』で書いている。その箇所を直訳すると、次のようになる。

「そこでカエサルは、大隊長や百人隊長たちから金を借り、それを兵士たち全員にボーナスとして与えた。これは、一石二鳥の効果をもたらした。指揮官たちは自分の金が無に帰さないためにもよく働いたし、総司令官の気前の良さに感激した兵士たちは、全精神を投入して敢闘したからである」

銀行にとっては居てほしくない型の人間であったかもしれないカエサルだが、右の数行は、〝大きすぎてつぶせない〟存在になるまで借りまくった金を、彼が何に費消したかも示してくれている。女たちへの贈物など、たいした額にはならない。たいした額になった理由は、彼が街道の修復や剣闘試合の主催や選挙運動などに使ったからである。だが、このようなことには大盤振舞いしたカエサルも、自分の資産を増やすことには使っていない。キケロのように借金までして、ローマの一等地パラティーノの丘に豪邸をもったり、イタリア各地に八つもの別荘を購入したりはしなかった。カエサルの不動産への関心は、ローマの心臓部であるフォロ・ロマーノの拡張をはじめとする公共事業ばかりで、私用に造ったテヴェレ西岸の庭園も、遺言でローマ市民に寄付している。この男は、自分の墓にさえ関心がなかったようである。事実、彼の墓はない。

これでは反対派も、スキャンダルの火種にすることからしてむずかしい。私財には転用していない以上、金の使い方には文句のつけようがないからである。また、金の入りのほうも、「強い債務者」であった彼のことだ。クラッススとて、カエサルにだけは貸しつづけるしかなかった。後世の研究者の一人も書いている。ユリウス・カエサルは、他人の金で革命をやってのけた、と。

債権者に首根っ子を押さえられるようでは、国家大改造を最終目標にした権力への驀進などはやれるものではないのである。

図版出典一覧

カバー	写真撮影：新潮社写真部
p. 14	同上
p. 43	ローマ文明博物館（ローマ／イタリア） © Scala, Firenze
p. 48	Luigi Canina, “Vedute dei principali monumenti di Roma antica,” Sugarco Edizioni, 1990 より
p. 59	フレグレイ考古学遺跡（イタリア）Arturo Fratta, “Campi Flegrei,” Alte Tipografica, 2001 より
p. 67	Cesare Vecellio, “Habiti antichi et moderni”（『服装今昔』), 1860 より
p. 73	大英博物館（ロンドン／イギリス） © Copyright The Trustees of The British Museum
p. 113	ヴェネツィア考古学博物館（イタリア）© Archivo Iconografico, S.A./CORBIS/CORBIS JAPAN
p. 121	ナポリ考古学博物館（イタリア） © Archivi Alinari, Firenze
p. 126	p.67に同じ
p. 166	カピトリーノ博物館（ローマ／イタリア） © Archivi Alinari, Firenze
p. 171	マダマ宮（現イタリア共和国上院議事堂、ローマ／イタリア）© Bettmann/CORBIS/CORBIS JAPAN
p. 175	カピトリーノ博物館　© Archivo Iconografico, S.A./CORBIS/CORBIS JAPAN
p. 202	p.67に同じ

地図作製：綜合精図研究所(p. 18、p. 20、p. 22、p. 33、p. 99、p. 124)

ローマ人の物語 8

ユリウス・カエサル ルビコン以前 [上]

新潮文庫　し - 12 - 58

平成十六年九月一日発行
平成二十一年六月二十日八刷

著者　塩野七生
発行者　佐藤隆信
発行所　株式会社新潮社

郵便番号　一六二―八七一一
東京都新宿区矢来町七一
電話　編集部(〇三)三二六六―五六一一
　　　読者係(〇三)三二六六―五一一一
http://www.shinchosha.co.jp

価格はカバーに表示してあります。

印刷・錦明印刷株式会社　製本・錦明印刷株式会社

ISBN978-4-10-118158-5 C0122